Chère lectrice,

Des vignobles enchanteurs de la côte basque espagnole jusqu'à Sydney, en passant par les plages des Caraïbes, les envoûtantes landes écossaises ou La Nouvelle-Orléans et son rythme endiablé : ce mois-ci, pour bien commencer l'été, j'ai sélectionné pour vous dix romans, véritables promesses d'évasion.

Car l'amour s'épanouit sous tous les climats et dans tous les décors.

Alors, que ce soit en compagnie de Saffy Marshall et du cheikh Zahir (*Une nuit d'amour avec le cheikh* de Lynne Graham, Azur n° 3493) ou aux côtés de la tumultueuse famille Corretti (*Amoureuse d'un Corretti* de Kate Hewitt, Azur n° 3494), laissez-vous emporter, le temps d'une lecture, vers des horizons brûlant de soleil et de passion.

Je vous souhaite un très bon mois de lecture.

La responsable de collection

D0239264

Une nuit d'amour avec le cheikh

LYNNE GRAHAM

Une nuit d'amour
avec le cheikh

collection *Azur*

éditions HARLEQUIN

Collection : Azur

Cet ouvrage a été publié en langue anglaise
sous le titre :
THE SHEIKH'S PRIZE

Traduction française de
LOUISE LAMBERSON

HARLEQUIN®
est une marque déposée par le Groupe Harlequin
Azur® est une marque déposée par Harlequin S.A.

ÉDITIONS HARLEQUIN
83-85, boulevard Vincent-Auriol, 75646 PARIS CEDEX 13.
Service Lectrices — Tél. : 01 45 82 47 47
www.harlequin.fr

ISBN 978-2-2803-0716-1 — ISSN 0993-4448

1.

Zahir Ra'if Quarishi, roi de Maraban, se leva brusquement en voyant son frère entrer en trombe dans son bureau.

— Que se passe-t-il ? demanda-t-il sèchement.

Le souffle court, Akram sembla se rappeler qu'il se trouvait face à son *souverain*, et que, par conséquent, il se devait de respecter le protocole en vigueur au palais.

— Excusez-moi de vous déranger, Majesté…, dit-il en s'inclinant brièvement.

— Tu as sans doute une bonne raison de le faire ?

A en juger par le trouble qui se lisait sur les traits de son jeune frère, Zahir devinait que c'était un incident d'ordre privé qui avait motivé cette irruption brutale. Son frère, mieux que quiconque, savait que son bureau était son sanctuaire, l'un des rares lieux où il pouvait se retirer pour travailler en paix.

— Je ne sais pas comment te le dire…, commença Akram, visiblement très mal à l'aise.

Après s'être installé dans l'un des confortables fauteuils disposés dans un coin de la pièce, Zahir invita son frère à l'imiter.

— Assieds-toi et respire. Nous pouvons parler de tout, Akram, tu le sais. Je ne me conduirai jamais comme notre défunt père.

Leur père… Véritable tyran, il avait imposé un régime de terreur dans toute la contrée, mais aussi à l'intérieur

même du palais. Durant le règne de Fareed le Magnifique
— car c'était ainsi qu'il exigeait d'être appelé —, l'argent
venant du pétrole avait atterri dans les coffres royaux,
sans que le peuple en profite jamais. Les habitants de
Maraban avaient continué à vivre comme au Moyen
Age, privés d'éducation, des technologies modernes et
de soins médicaux les plus basiques.

Dès son accession au pouvoir, trois ans plus tôt, Zahir
avait pris les mesures indispensables aux transformations
radicales qu'il comptait mettre en œuvre, dans tous les
domaines. Mais il restait encore tant à faire.

— Akram… ? J'ai un rendez-vous dans une demi-heure.

Cette fois, son frère se décida enfin à sortir de son
mutisme.

— C'est… *elle* ! s'exclama-t-il, les yeux exorbités. La
femme que tu as épousée autrefois ! Elle est ici, dans les
rues de la capitale à te faire honte, en ce moment même !

A ces mots, Zahir sentit son sang se glacer dans ses
veines.

— Qu'est-ce que tu racontes ?

— Sapphire est ici, à Maraban. Elle participe au
tournage d'un film publicitaire, pour une marque de
produits de beauté ! répondit Akram d'un ton furieux
et réprobateur.

— Tu en es sûr ?

— Oui, c'est Wakil qui est venu m'en informer. Ton
ancien garde du corps n'en croyait pas ses yeux quand
il l'a vue ! Heureusement que notre père avait refusé
d'annoncer ton mariage au peuple… Je n'aurais jamais
pensé que nous pourrions lui en être reconnaissants.

Sous le choc, Zahir entendit à peine les dernières
paroles de son frère. Comment son ex-épouse avait-elle
pu oser fouler le sol de son pays ? La rage et l'amertume
l'envahirent. Il avait tenté de ne pas devenir amer, et
même d'oublier ce mariage raté… Mais la tâche s'était
avérée difficile, voire impossible. Son épouse, Sapphire

8

Marshall, était devenue un top model célèbre dans le monde entier, dont la photographie s'étalait dans toute la presse et faisait la couverture des plus grands magazines. Une fois, elle avait même figuré sur un gigantesque panneau d'affichage se dressant au beau milieu de Times Square, à Londres.

Avec le recul, il se rendait compte qu'il avait représenté une cible de rêve pour l'aventurière en herbe qu'elle était encore lorsqu'ils s'étaient rencontrés cinq ans plus tôt. Et ce souvenir laissait une blessure inguérissable sur son ego. A vingt-cinq ans, victime de l'oppression exercée par son père, il ignorait tout des femmes, tant orientales qu'occidentales. Mais, en dépit de son manque total d'expérience, il avait *vraiment* essayé de faire fonctionner ce mariage. Tandis que, de son côté, son épouse avait refusé de faire le moindre effort pour résoudre leurs problèmes. Au fond, Sapphire n'avait sans doute jamais désiré devenir sa femme — elle ne supportait même pas qu'il la touche…

Plus tard, lorsque les femmes n'avaient plus eu de secrets pour lui, il avait enfin compris la cause du comportement étrange de la jeune femme : elle l'avait épousé uniquement pour son immense fortune et son titre princier. En fait, il n'avait jamais compté pour elle en tant qu'homme, ni même en tant qu'être humain. Le seul but de cette femme cupide avait été la généreuse compensation financière qu'elle comptait obtenir après leur divorce.

A cette pensée, Zahir serra les poings. Si seulement il avait pu traiter avec elle *maintenant*, il aurait su exactement comment s'y prendre !

— Je suis désolé, dit Akram d'une voix craintive. J'ai estimé que tu devais savoir qu'elle avait eu l'insolence de revenir fouler le sol de notre pays.

— Cela fait cinq ans que nous avons divorcé, répondit-il

d'une voix dure. Pourquoi voudrais-tu que je sois affecté par ses agissements ?

— Parce que cette femme représente une nuisance ! répliqua Akram avec force. Imagine ce qui se passera si les journalistes découvrent qu'elle a été ton épouse ! Elle doit être complètement dépourvue de sens moral pour réapparaître à Maraban — et s'exhiber ainsi en public, sans la moindre pudeur !

Touché malgré lui par l'inquiétude de son frère, Zahir se leva et lui posa une main apaisante sur l'épaule.

— Tu réagis de façon trop personnelle, Akram. Toutefois, je te remercie d'être venu m'en informer, mais que voudrais-tu que je fasse ?

— La faire expulser de Maraban avec toute son équipe ! répondit Akram sans hésitation.

Zahir réprima un sourire.

— Tu es jeune et impétueux. Les paparazzi suivent Sapphire où qu'elle aille depuis qu'elle est devenue une célébrité internationale. As-tu réfléchi aux conséquences d'une telle décision ? Ce serait le meilleur moyen d'attirer l'attention du monde entier sur un passé qui doit rester secret.

Sans dissimuler sa réticence, Akram s'inclina devant Zahir et quitta la pièce.

Préoccupé, Zahir se réinstalla à son bureau, avant de saisir son téléphone. Sa décision était peut-être absurde, mais il *fallait* qu'il revoie Sapphire, en chair et en os. Une telle occasion ne se représenterait sans doute jamais !

Avait-il besoin de cette ultime confrontation pour pouvoir tourner définitivement la page sur son histoire avec elle ? Oui, sans doute. A ce moment de sa vie où il envisageait de se remarier, sa curiosité était des plus légitimes.

A en croire les médias, Sapphire vivait depuis quelque temps avec un photographe animalier écossais de talent, Cameron McDonald. Manifestement, *avec lui*, elle n'avait pas de problèmes sexuels… A cette idée, Zahir sentit une bouffée de rage l'envahir.

Saffy orienta son visage vers la machine à vent de façon à ce que ses cheveux ruissellent sur ses épaules et son dos en un mouvement fluide. Elle tenta de garder un visage détendu pour que son malaise intérieur ne transparaisse pas sur ses traits. Dans son travail, elle faisait toujours preuve d'un professionnalisme exemplaire. N'était-ce pas la raison pour laquelle les meilleurs photographes ainsi que les marques les plus prestigieuses appréciaient de travailler avec elle ?

Pour la centième fois de la journée, deux assistants vinrent retoucher son maquillage qui, à cause de la chaleur suffocante, fondait littéralement sur son visage. D'autre part, il avait fallu interrompre à plusieurs reprises le tournage, afin de repousser la foule excitée qui s'accumulait derrière les barrières de sécurité.

Jamais elle n'aurait dû accepter de venir à Maraban. Mais elle n'avait pas trouvé de prétexte convaincant pour refuser. De toute façon, la décision du lieu de tournage avait été prise au tout dernier moment si bien qu'elle n'avait pas vraiment eu le choix. Lorsqu'elle avait appris qu'elle devrait se rendre à Maraban, Saffy avait déjà signé un contrat avec Desert Ice Cosmetics depuis longtemps. Le rompre aurait eu des répercussions catastrophiques sur sa carrière et sa renommée.

— Donne-nous cette expression si sensuelle qui n'appartient qu'à toi, Saffy…, supplia Dylan, le réalisateur. Qu'est-ce que tu as, aujourd'hui ? Tu n'as pas l'air en forme…

Ses paroles firent l'effet d'une décharge électrique à Saffy. Furieuse d'avoir laissé percevoir son trouble, elle se concentra sur son petit scénario secret.

La magie opéra aussitôt, comme chaque fois qu'elle devait incarner le désir pour les photographes ou devant les caméras. Quelle ironie cruelle ! Elle devait se servir d'un *fantasme* alors qu'elle était l'icône même de la sensualité et que les médias lui prêtaient les liaisons les plus folles, voire des aventures scandaleuses avec des hommes qui ne l'avaient jamais touchée !

Décidée à refouler les souvenirs douloureux qui jaillissaient du plus profond de sa mémoire, Saffy convoqua le fantasme familier qui hantait ses nuits. Elle vit l'homme aux cheveux noirs se dresser devant elle, avec sa peau brunie par le soleil, sa haute silhouette athlétique dont émanait un magnétisme sensuel presque animal. Et ces extraordinaires yeux sombres, ardents, bordés de longs cils noirs, qui lui avaient coupé le souffle au premier échange de regards.

Une houle chaude déferla dans tout son corps, ses seins se tendirent sous la soie, son ventre frémit…

— Oui, tu l'as ! C'est ça ! s'écria Dylan avec enthousiasme.

Saffy renversa la tête en arrière, offrant sa gorge à de délicieuses caresses imaginaires.

— Baisse un peu plus les paupières, oui, comme ça… Il faut nous montrer cette belle ombre à paupières, trésor… Et maintenant, fais-moi cette moue sexy qui te va si bien.

Lorsque, quelques minutes plus tard, Saffy revint au présent, elle se retrouva plongée dans la chaleur, le bruit, et contempla en tressaillant la foule de curieux qui la dévoraient des yeux.

Quant à Dylan, il avait obtenu ce qu'il voulait et sautait de joie sur place. Laissant errer son regard par-dessus les gens agglutinés autour de l'aire de tournage, Saffy aperçut un imposant véhicule noir garé au sommet d'une dune de sable. A côté, une haute silhouette, vêtue d'une longue tunique blanche se tenait immobile, un objet qui miroitait au soleil à la main.

Grâce à ses jumelles à haute définition, Zahir avait pu observer sa belle ex-épouse avec une précision stupéfiante. Les somptueux cheveux blonds qu'il n'avait jamais oubliés auréolaient son visage d'un voile doré. Assise sur une pile de faux cubes de glace géants, ses incroyables jambes au galbe parfait allongées devant elle, elle formait un tableau spectaculaire. Mais, dans l'échelle de valeurs de Zahir, la beauté de Sapphire occupait une place bien à part et, à la voir offerte ainsi à des centaines de regards, il sentit une colère sourde monter en lui.

Comment osait-elle s'exhiber ainsi en public, à Maraban, vêtue de quelques lambeaux de soie bleu azur dévoilant presque entièrement ses seins épanouis ?

Resserrant les doigts sur ses jumelles, Zahir regarda les collègues de son ex-épouse s'affairer autour d'elle. Une foule d'assistants se pressaient pour lui apporter à boire et à manger, tandis que d'autres s'occupaient de son visage et de ses cheveux. Lequel d'entre eux détenait le privilège de goûter à ce corps superbe ? se demanda-t-il avec une rage dont l'intensité le surprit. Car, d'après les journaux, tout en vivant avec Cameron McDonald, Sapphire Marshall ne se privait pas de partager son corps avec d'autres hommes. La fidélité n'était apparemment pas le fort de cette femme…

A cette pensée, Zahir sentit la fureur s'emparer de lui. En dépit du passé et de tout ce qu'il savait maintenant sur cette créature vile et intéressée, il la désirait encore, comme en témoignaient les réactions malvenues de son corps. Et ce constat l'emplissait de honte et de colère.

13

Sapphire représentait la seule erreur qu'il ait jamais commise. Une erreur qu'il avait chèrement payée, sans même parler des sommes astronomiques qu'il continuait à lui verser chaque mois…

Le moment était enfin venu de prendre sa revanche. A cette perspective, une poussée d'adrénaline le traversa. Oh oui, en venant tourner avec son équipe à Maraban sans en avoir demandé la permission aux autorités concernées, Sapphire lui facilitait vraiment la tâche…

Décidé à organiser la rencontre au plus vite, il baissa ses jumelles et remonta dans sa voiture. Malgré lui, toutes sortes d'objections se présentaient à son esprit et une petite voix intérieure lui conseillait de renoncer, de maîtriser ce besoin, presque primaire, de la revoir. Mais il les repoussa résolument : à présent, la situation avait changé. Il n'était plus le même homme.

Cette fois, il possédait le moyen de *forcer* Sapphire à satisfaire son désir.

Soulagée d'échapper aux regards avides de la foule, Saffy entra dans la remorque aménagée en cabine pour se changer. Après s'être débarrassée du bandeau de soie dissimulant à peine ses seins et de sa jupe fendue, elle détacha le faux diamant de son nombril et enfila un simple pantalon en lin blanc et un T-shirt turquoise. Dans quelques heures, elle serait dans l'avion, loin de Maraban. Et tout irait bien. Maraban était le dernier endroit du monde où elle aurait souhaité séjourner, mais les troubles survenus dans le pays voisin ces derniers jours les avaient obligés à trouver un nouveau lieu de tournage. Et Maraban s'était imposé, en dépit de ses objections… Comment s'en étonner alors que personne ne connaissait ses liens passés avec Maraban et Zahir ? Saffy avait jugé plus prudent de ne pas insister.

14

Zahir, roi de Maraban... Ainsi, en dépit de son dégoût pour la corruption liée à la monarchie héréditaire, il avait fini par monter sur le trône et succéder à son père. D'après ce que Saffy avait lu dans la presse, le peuple s'était rallié à Zahir lorsqu'il s'était rebellé, avec l'armée, contre son vieux tyran de père.

Il y avait des portraits de Zahir partout. Elle en avait même remarqué un dans le hall de l'hôtel. Un vase de fleurs posé sur un guéridon juste en dessous du tableau conférait à l'ensemble un air d'autel sacré. Elle aurait dû être heureuse pour lui. Zahir était un homme honorable, épris de justice, et sans doute un très bon roi. Alors pourquoi cette vague amertume ? Elle n'avait aucun droit de lui reprocher d'avoir succédé à son père à la tête de l'Etat car, de toute façon, il n'avait sans doute pas pu l'éviter.

Quant à leur mariage catastrophique… Encore maintenant, cinq ans après, elle ne supportait pas d'y songer. Zahir lui avait brisé le cœur le jour où il l'avait congédiée, parce qu'il ne la jugeait pas capable de jouer pleinement son rôle d'épouse.

Bien sûr, de son côté, elle le pressait de divorcer depuis des mois. Mais c'était une menace en l'air, une façon de le forcer à donner une vraie chance à leur union. Elle n'avait jamais envisagé de se séparer de son mari.

Saffy jeta un dernier regard autour d'elle avant de quitter la caravane. A quoi bon ruminer le passé ? Ce qui était fait était fait. Et puis, à présent, elle vivait bien.

Résolue à laisser son passé derrière elle, elle suivit les agents de sécurité qui lui frayaient un chemin parmi la foule. Confortablement installée dans la limousine qui allait la conduire à l'aéroport, elle laissa échapper un soupir de soulagement : une fois rentrée chez elle, trois merveilleux jours de liberté l'attendaient…

Machinalement, elle tendit la main vers le magnifique bouquet déposé à l'intérieur du véhicule et caressa le pétale soyeux d'une fleur exotique d'un rouge vif. Qui pouvait bien lui envoyer ces fleurs ? Elle n'en avait aucune idée, mais peu importait. Pour l'heure, seul comptait son retour à Londres. En arrivant, elle appellerait sa sœur aînée, Kat, qui filait depuis quelques mois le parfait amour avec Mikhail, son beau milliardaire russe d'époux.

A vrai dire, elle ne savait que penser de son nouveau beau-frère. Au cours d'une conversation animée, Mikhail lui avait reproché de ne pas avoir aidé Kat, lorsqu'elle avait traversé une période très difficile sur le plan financier qui avait failli lui coûter leur maison de famille. Choquée, elle avait seulement pu répliquer que Kat ne lui en avait jamais rien dit et que, de toute façon, elle aurait eu du mal à rassembler une telle somme en un délai aussi court. Depuis quelques années, elle versait une partie importante de sa fortune à une association caritative qui scolarisait de jeunes orphelins dont les parents étaient morts du SIDA. Bien sûr, elle vivait quand même confortablement, mais pas dans le luxe.

En revanche sa jumelle, Emmie, risquait d'avoir besoin d'aide. Ne venait-elle pas de lui annoncer qu'elle était enceinte et comptait élever son enfant seule ? Malgré son insistance, Emmie avait refusé de révéler l'identité du père. Il y avait fort à parier que son ex-petit ami l'avait blessée. Emmie ne pardonnait jamais à ceux qui l'avaient blessée ou offensée. Saffy n'était-elle pas bien placée pour le savoir ? Depuis le terrible accident dans lequel elle avait entraîné Emmie, pendant leur adolescence, leur relation avait toujours été compliquée. Sa jumelle se montrait glaciale, tandis qu'elle-même ne pourrait sans doute jamais se débarrasser de la culpabilité qui l'assaillait dès qu'elle voyait Emmie.

Enfants, elles avaient pourtant été si proches… Mais, depuis l'accident, elles n'avaient jamais réussi à combler le fossé qui les séparait. Ce qui était arrivé était trop grave pour être pardonné, songea tristement Saffy.

Heureusement, Mikhail et Kat aideraient Emmie à

assumer financièrement sa grossesse, elle n'en doutait pas un instant. Cependant, elle n'arrivait pas à comprendre que sa jumelle refuse de révéler l'identité du père de son enfant.

Mais pouvait-elle vraiment le lui reprocher ? Elle-même n'avait jamais avoué à ses sœurs la vérité sur l'échec de son mariage. Et, lorsqu'elle avait rencontré Zahir, elle avait ignoré les conseils de Kat qui lui conseillait d'attendre de le connaître un peu mieux avant de l'épouser.

Avec le recul, elle comprenait à quel point sa sœur aînée avait vu juste. Se marier à dix-huit ans avec un homme qu'elle avait rencontré seulement quelques mois plus tôt avait été stupide. Immature et idéaliste, elle s'était retrouvée confrontée à des réalités qui la dépassaient de très loin, dès son arrivée à Maraban. Et pendant qu'elle se débattait pour s'adapter à une culture totalement différente de la sienne, Zahir était devenu de plus en plus distant, s'absentant durant des semaines entières pour participer à des manœuvres militaires, alors qu'elle avait tant besoin de lui.

Oui, elle avait commis des erreurs, mais lui aussi.

Emergeant de ses pensées, Saffy se rendit soudain compte que la limousine filait sur une route déserte. Un itinéraire d'autant plus surprenant que le trajet menant à l'aéroport traversait la capitale. Décontenancée, elle contempla le désert qui s'étendait de chaque côté de la route, parsemé de roches volcaniques et de rares touffes de végétation.

Où le chauffeur l'emmenait-il ? Avait-il choisi un autre trajet pour éviter les embouteillages ? Elle se pencha et frappa sur la vitre de séparation, mais l'homme se contenta de lui jeter un bref regard dans le rétroviseur. Agacée — et de plus en plus inquiète —, elle frappa plus fort contre la vitre en ordonnant au chauffeur de s'arrêter.

A cet instant, elle remarqua l'enveloppe blanche

fixée au bouquet et s'en saisit. Elle contenait une carte imprimée d'élégants caractères noirs :

« C'est avec le plus grand plaisir que je vous offre l'hospitalité pour le week-end. »

L'hospitalité ? Stupéfaite, Saffy contempla la carte dépourvue de toute signature. Qui l'invitait, et pourquoi ? Etait-ce sur l'ordre de cet hôte inconnu que son chauffeur peu loquace n'avait pas pris la direction de l'aéroport ?

Dissimulé parmi la foule, un puissant cheikh avait-il assisté au tournage au cours duquel elle s'était montrée *très* légèrement vêtue ? Oui, il y avait ce type qui l'observait avec ses jumelles du haut de sa dune. La prenait-il pour une call-girl prête à satisfaire ses caprices à la demande ? Furieuse, elle déchira la carte. Il était hors de question qu'elle sacrifie son week-end pour satisfaire l'ego d'un milliardaire persuadé que, puisqu'elle gagnait sa vie grâce à son visage et à son corps, elle était à la disposition du plus offrant !

Bien décidée à ne pas se laisser faire, Saffy chercha son téléphone dans son sac : elle allait appeler un membre de l'équipe à l'aide. Mais, après avoir fouillé son sac de fond en comble, elle fut forcée de constater que son portable ne s'y trouvait pas.

Qu'avait-elle bien pu en faire ? Elle était certaine de l'avoir tenu dans sa main avant d'aller se changer. Ensuite, elle avait dû le poser… et oublier de le reprendre. Quelle idiote ! Serrant les mâchoires, Saffy mit la main sur la poignée : la portière était verrouillée, bien sûr ! De toute façon, elle n'avait pas l'intention de risquer sa vie en sautant d'une voiture en marche.

A présent, le chauffeur lui jetait des regards anxieux dans le rétroviseur. La tête haute, Saffy réfléchit à toute allure. Quelqu'un était-il en train d'essayer de la kidnapper ? Non, elle ne le pensait pas vraiment. A Maraban, les lois étaient respectées.

Mais alors, que lui voulait-on ? Au moment où elle jetait un coup d'œil inquiet à sa montre, la limousine s'arrêta sur le bas-côté de la route et la portière s'ouvrit avec un clic. Saffy jaillit hors du véhicule et songea un instant à s'enfuir en courant. Mais pour aller où ? A cette heure du jour, elle serait vite brûlée par le soleil. D'autre part, ils avaient roulé durant des kilomètres dans le désert, sans croiser une seule voiture.

Non, prendre la fuite n'était pas raisonnable. A cet instant, un impressionnant 4x4, venant en sens inverse, se gara de l'autre côté de la route. Le conducteur du 4x4 sauta à terre et lui ouvrit la portière arrière avec un regard insistant. Ainsi, la rencontre des deux véhicules n'était pas fortuite. Que faire ? Accepter de monter, ou tenter de résister ? En réalité, avait-elle vraiment le choix ?

Redressant les épaules, Saffy traversa la route et grimpa dans le 4x4. Aussitôt, la portière coulissa derrière elle.

A ce moment un puissant sentiment d'angoisse l'envahit. Venait-elle de faire la pire erreur de sa vie ? Non, dès qu'ils seraient arrivés à destination, elle exigerait d'être conduite à l'aéroport, voilà tout. Et si quiconque osait poser la main sur elle, eh bien… Que ferait-elle, au juste ? Elle se défendrait bien sûr, mais, en cet instant, elle regrettait amèrement de ne pas avoir pris ces cours d'autodéfense dont on lui avait parlé.

Le 4x4 fit demi-tour et s'engagea sur une piste rocheuse qui s'enfonçait dans le désert. Par la vitre, Saffy aperçut de hautes dunes surgir au loin avant de se rapprocher rapidement pour finalement les entourer. La piste était cabossée et, en dépit de l'air conditionné, Saffy sentit sa nuque et son front devenir moites.

Agrippant la portière, elle ferma brièvement les yeux. Finalement, elle aurait peut-être mieux fait de tenter de fuir quand ils étaient encore sur la route…

A présent, la piste zigzaguait entre les dunes. Soudain, le chauffeur engagea le véhicule dans l'ascension d'une dune, plus haute que les autres. Au sommet, Saffy aperçut une forteresse de pierre entourée de remparts et tourelles. On aurait dit un château sorti tout droit de l'époque des croisades !

En tout cas, rien à voir avec un hôtel cinq étoiles… Et mis à part un troupeau de chèvres, il n'y avait pas âme qui vive alentour.

Le 4x4 se dirigea vers les hautes grilles noires qui s'ouvrirent lentement à leur approche. Au-delà, Saffy découvrit avec surprise des jardins luxuriants. Quel contraste avec les étendues infinies de sable qu'ils venaient de traverser !

Dès que le véhicule s'immobilisa, elle vit trois hommes en livrée venir à leur rencontre. Après tout, il s'agissait peut-être d'un hôtel, même si cet endroit ne ressemblait en rien au luxueux établissement dans lequel elle avait séjourné en ville…

A peine avait-elle posé le pied sur le sol que les membres du personnel venus l'accueillir s'inclinèrent profondément devant elle, mais chacun semblait éviter son regard et personne ne lui adressa la parole. De toute façon, elle-même n'était pas d'humeur à bavarder, aussi suivit-elle le plus vieux des trois hommes et entreprit de gravir derrière lui les marches de pierre patinée par les ans.

Lorsqu'elle pénétra dans l'immense hall, ses talons résonnèrent dans le silence tandis qu'elle savourait la fraîcheur inattendue du lieu. Jamais elle ne se serait attendue à se retrouver au milieu d'une telle splendeur. Malgré elle, elle contempla avec ébahissement le sol de marbre blanc, les colonnes dorées et les hauts miroirs aux cadres incrustés de pierreries. N'était-ce pas extraordinaire de découvrir toute cette opulence derrière ces vieux murs ?

Levant les yeux, elle fut frappée par la beauté du plafond richement décoré. Il semblait représenter un ciel d'azur parsemé d'oiseaux exotiques multicolores.

Cette fresque avait été exécutée par un artiste de grand talent, à en juger par les teintes raffinées et le dessin à la fois souple et précis.

Son guide lui faisant signe de le suivre, elle s'avança avec réticence et, après avoir descendu trois marches, franchit une haute porte à doubles battants ouverte sur une vaste pièce inondée de soleil.

Les murs en étaient couverts de tentures superbes, aux motifs typiquement orientaux. Autour du foyer central sur lequel on pouvait préparer du café, comme sous une tente bédouine, des divans bas étaient disposés sur de magnifiques tapis. Comme pour rappeler cette époque reculée où le peuple de Maraban était constitué uniquement de nomades.

— Que désirez-vous boire, madame ? demanda alors une voix féminine, en français.

Avec un sursaut, Saffy se retourna et vit une jeune fille s'incliner devant elle avec respect. A Maraban, le français était plus employé que l'anglais, mais bien que l'ayant étudié au cours de sa scolarité Saffy n'en avait pas retenu grand-chose. Déjà lors de son premier séjour ici, cinq ans plus tôt, elle avait eu beaucoup de mal à communiquer dans cette langue.

— Apportez-nous des rafraîchissements, fit alors une autre voix, virile et profonde. Et, dorénavant, adressez-vous à Mlle Marshall en anglais.

Saffy sentit ses genoux trembler tandis qu'un frisson lui parcourait la nuque.

La jeune domestique s'inclina de nouveau, murmura quelques mots, puis disparut par une petite porte dissimulée derrière une tenture.

Lentement, Saffy se tourna vers la haute silhouette qui se découpait dans l'encadrement de la double porte.

— Zahir…, murmura-t-elle.

2.

— Tu espérais voir quelqu'un d'autre ? demanda-t-il lentement.

Le cœur battant à tout rompre, Saffy recula d'un pas. Zahir… le roi de Maraban… Ainsi, c'était lui qui l'avait fait conduire dans cette forteresse perdue au fin fond du désert et qui lui offrait l'hospitalité pour le week-end ? A quoi rimait cette invitation absurde puisqu'ils avaient divorcé cinq ans plus tôt et que, depuis, il n'avait jamais tenté de la revoir ?

Et pourtant son ex-mari était bien là, en face d'elle. Vêtu d'une chemise de coton noir et d'un jean décontractés, mais de toute évidence coupés sur mesure tant ils épousaient parfaitement son corps musclé, il était d'une beauté à couper le souffle.

Saffy était grande mais, même avec des talons, elle devait lever les yeux pour soutenir le regard de Zahir. Décontenancée, elle sentit toute sa belle assurance lui échapper. C'était ridicule ! N'était-elle pas réputée pour son contrôle parfait, par exemple durant les interminables séances de travail ? Mais, cette fois, le choc était trop fort, trop brutal. Bien sûr, elle avait souvent imaginé leurs retrouvailles, mais elle s'était toujours dit que si elle devait rencontrer Zahir un jour, elle ne serait pas aussi impressionnée qu'autrefois, à dix-huit ans. Et pourtant, à le voir ainsi, avec ses épais cheveux brillants aux reflets bleutés, son visage aux traits ciselés, ses hautes pommettes, la détermination émanant de sa mâchoire virile, et cette bouche, cette bouche si sensuelle…

Oui, Zahir avait les traits et le corps d'un dieu grec — et un regard de prédateur prêt à fondre sur sa proie. Etre avec lui, c'était être en danger, se rappela Saffy avec un frisson.

Mais en dépit des souvenirs douloureux qui remontaient à sa mémoire, des étincelles pétillaient dans son ventre rien qu'à le regarder. De toute évidence, il possédait encore le pouvoir de la bouleverser.

Perturbée par ce constat, Saffy redressa la tête et le défia du regard.

— Comment as-tu osé me faire amener ici contre ma volonté ?

Sa voix n'avait pas tremblé, heureusement, mais elle n'avait pas non plus été aussi ferme qu'elle l'aurait souhaité…

Zahir laissa descendre son regard sur la mince silhouette qui se dressait devant lui, une expression farouche sur le visage. Grande et fine comme la plupart des mannequins, Sapphire possédait toutefois des courbes très féminines, et son fin T-shirt laissait deviner le galbe parfait de ses seins et leurs pointes dressées tendant l'étoffe. Quant à son pantalon en lin blanc, il mettait en valeur ses cuisses fuselées et ses adorables hanches rondes.

Le désir le traversa avec une telle violence que Zahir serra les poings en s'efforçant de dompter les réactions impérieuses de son corps. Alors qu'il s'était attendu à être déçu en voyant Sapphire de près, il découvrait une femme encore plus éblouissante que la jeune fille de dix-huit ans qu'il avait connue autrefois.

— Depuis notre séparation, tu m'as coûté plus de cinq millions de livres sterling, dit-il avec calme. Alors j'ai eu envie de voir à quoi servait mon argent. J'ai même songé qu'en échange de mes largesses je pourrais peut-être avoir droit à une petite compensation…

— Le *droit* ? l'interrompit-elle avec colère. Aurais-tu perdu l'esprit ? Rien ne te donne le droit de me retenir contre mon gré !

— Je désirais te parler.

— Comme si nous avions encore quelque chose à nous dire ! Je pensais ne jamais te revoir et je ne veux pas t'entendre. Quant à ces cinq millions de livres, j'ignore de quoi tu parles !

— Tu mens, répliqua-t-il posément.

Le corps tendu par la colère, Saffy dévisagea son ex-époux. Zahir avait toujours possédé cette assurance tranquille grâce à laquelle il obtenait toujours ce qu'il désirait. Il était impossible de le faire dévier de son but.

— Je n'ai rien reçu de toi depuis que j'ai commencé à travailler ! dit-elle en s'efforçant de reprendre son calme.

— Le nier ne servirait à rien, répliqua-t-il avec mépris. Je t'ai versé des sommes colossales depuis ton départ de Maraban…

— C'est faux !

Saffy gagnait sa vie et était fière de son indépendance. Jamais elle n'avait profité de l'immense fortune de Zahir. De toute façon, elle savait très bien que leur courte vie commune et l'échec de leur mariage ne lui donnaient droit à aucun soutien financier de la part de son ex-époux.

— Tu m'as donné de l'argent quand je suis partie et cela m'a aidée à tenir jusqu'à ce que je commence à gagner ma vie, poursuivit-elle. Mais je n'ai jamais envisagé de te demander de pension alimentaire… Je l'ai dit à mon avocat qui a dû t'en informer.

— Sapphire, depuis ton départ, de l'argent a été

versé chaque mois sur un compte et rien ne m'a jamais été retourné. Et tu le sais très bien, répliqua Zahir d'une voix ferme. Mais ce n'est pas la question la plus urgente.

Tremblant de fureur, Saffy redressa le menton. Comme elle détestait Zahir et son comportement odieux en cet instant ! Mais elle était aussi furieuse contre elle-même. Elle n'aurait jamais dû perdre aussi vite son sang-froid : elle avait oublié à quel point Zahir avait le don de la mettre en colère.

— Ah bon ? riposta-t-elle avec dédain. Quelle est la *question la plus urgente*, alors ?

— Vous avez tourné cette publicité dans mon pays sans demander l'autorisation du ministère de l'Intérieur.

— Je l'ignorais ! protesta Saffy en contenant sa colère à grand-peine. Ce n'est pas moi qui m'occupe de ce genre de détail : je ne suis que mannequin. Je vais là où on me dit d'aller et tu dois bien imaginer que Maraban est vraiment le dernier endroit que j'aurais choisi pour ce tournage !

Un éclair doré passa dans le regard de Zahir.

— Pourquoi donc ? C'est un beau pays.

— Tout le monde n'a pas les mêmes critères de beauté ! Maraban est constitué à quatre-vingts pour cent de désert !

Zahir la contempla quelques instants sans ciller.

— Si tu étais encore ma femme, j'aurais honte de ton étroitesse d'esprit !

A ces mots, Saffy laissa échapper un rire bref et méprisant.

— Dieu merci, je ne le suis plus !

Zahir se raidit et encaissa l'insulte avec un regard si étincelant, si dur, qu'elle frémit malgré elle.

— Nous ne sommes plus rien l'un pour l'autre, *Dieu merci*, en effet, murmura-t-il.

Il avait raison bien sûr, mais alors pourquoi ces mots, prononcés d'une voix indifférente, la blessaient-ils autant ?

Déterminée à ne rien montrer de ses émotions, Saffy redressa le menton.

— Bon, le tournage a eu lieu sans autorisation, et alors ?

— Tout le matériel a été confisqué, répondit Zahir.

— *Confisqué ?* répéta-t-elle, horrifiée. Tu n'as pas pu faire une chose pareille !

— Je peux faire ce que je veux lorsque des gens violent les lois de Maraban, répliqua-t-il avec calme. Ce tournage n'avait pas été autorisé.

— Mais tu as le pouvoir d'arranger la situation. Le lieu du tournage a été modifié à la toute dernière minute : ils n'ont sans doute pas eu le temps de faire les démarches nécessaires ! C'est pour me dire cela que tu m'as fait amener ici ?

— Non… Je désirais te revoir, répondit-il simplement.

Déconcertée par sa franchise, Saffy le regarda un instant en silence.

— Je ne comprends pas…

— Tu n'as qu'à te regarder dans le miroir pour comprendre. Je te désire et je veux goûter rien qu'une fois à ce qui aurait dû m'échoir quand je t'ai épousée — et que tu as offert depuis à tant d'autres hommes…

Abasourdie, Saffy recula, le cœur battant. *Zahir voulait coucher avec elle ?* Alors qu'ils avaient divorcé cinq ans plus tôt, à *sa* demande ?

— A moins que tu ne me trouves physiquement repoussant, bien sûr, poursuivit-il d'une voix suave.

Elle recula d'un nouveau pas. Il n'y avait sans doute pas une seule femme au monde qui puisse trouver Zahir repoussant. Pas elle, en tout cas. Et cela n'avait jamais été le cas. Etait-ce l'impression qu'elle lui avait laissée ? Assaillie par le remords, Saffy voulut dire quelque chose. Mais qu'y avait-il à dire ? Avouer à Zahir qu'il n'aurait jamais pu résoudre les problèmes avec lesquels elle se débattait alors ? Qu'il lui avait fallu de longs mois de thérapie pour en trouver la clé ? Non, impossible.

— Si tu arrives à me convaincre que je te dégoûte, je te laisserai partir, poursuivit Zahir.

La note rauque de désir qui perçait dans sa voix atteignit Saffy en plein cœur. C'était comme être ramenée en arrière, à l'époque de leur mariage, où elle s'était trouvée incapable de faire l'amour avec son mari, en dépit du désir qu'il lui inspirait. Zahir en était resté blessé. Comment aurait-elle pu lui en vouloir ?

Toutefois, cela n'excusait pas son comportement présent.

— Tu m'as fait enlever ! s'exclama-t-elle d'un ton accusateur.

— Tu connais beaucoup de kidnappeurs qui enlèvent leur victime en leur envoyant des fleurs et une limousine ?

— Tu es devenu fou… As-tu réfléchi aux conséquences ?

— Non. Quand il s'agit de toi, je perds toute capacité à réfléchir, répondit-il avec une simplicité déroutante. Il en a toujours été ainsi.

Assaillie par des images de plus en plus troublantes, Saffy ferma brièvement les yeux. Elle devait à tout prix se reprendre avant de perdre *tout* contrôle.

— Zahir, tu es roi… Un roi ne fait pas ce genre de chose !

Il rejeta la tête en arrière et éclata d'un rire onctueux qui se répandit en Saffy comme une coulée de miel chaud.

— Sapphire, mon père possédait un harem d'une centaine de concubines, ici même. Jusqu'à une période très récente, les membres de la famille royale se permettaient des choses totalement inacceptables, sur un plan moral aussi bien que social.

— Ton père possédait un harem ? Dans ce château ? répéta Saffy avec horreur.

A présent, son cœur battait si vite et si fort qu'elle avait l'impression qu'il allait jaillir de sa poitrine.

— Oui, répliqua calmement Zahir. Mais moi je n'ai ni harem, ni épouse.

— C'est tout ce que tu as à dire pour ta défense ? riposta Saffy d'une voix rauque.

Fascinée par ses beaux yeux d'ambre, elle le regarda s'avancer.

— Ne t'approche pas…, murmura-t-elle.

— Désolé, mais cette fois il faudra aller jusqu'au bout, répliqua-t-il en s'arrêtant devant elle.

Avec une lenteur délicieuse, il lui caressa la joue du bout des doigts. Instinctivement, elle appuya le visage contre sa paume. Tout cela semblait si… normal.

Lorsqu'elle croisa le regard de Zahir, elle fut prise de vertige. Comment cet homme pouvait-il être d'une beauté aussi somptueuse ? Pourquoi y demeurait-elle sensible, et pourquoi le monde s'était-il arrêté ?

Zahir se rapprocha encore d'un pas et Saffy sentit la chaleur qui émanait de son corps musclé se propager en elle. Seigneur, comment pouvait-il éveiller de telles sensations en elle, alors que le seul contact entre eux se résumait à la main de Zahir appuyée contre son visage ?

Zahir allait l'embrasser, comprit-elle en le voyant pencher la tête vers elle. Un mélange d'émotions contradictoires l'envahit, mais, quand il effleura sa bouche de ses lèvres fermes avant d'en prendre complètement possession, des frissons brûlants se répandirent dans tout son corps. Lorsqu'il glissa sa langue entre ses lèvres, Saffy laissa échapper un soupir étranglé. Jamais elle n'avait oublié le goût de sa bouche. La sensation était si fabuleuse, si enivrante qu'elle ferma les yeux et s'abandonna à son baiser.

Son ventre frémissait, ses seins se dressaient sous son T-shirt — des réactions physiques qu'elle attendait depuis si longtemps… Mais jamais elle n'aurait imaginé les vivre avec Zahir !

Incapable de se résoudre à s'écarter de lui, à rompre le charme, elle lui abandonna totalement sa bouche et se laissa entraîner dans une danse exquise. Des ondes de volupté se propageaient dans les moindres cellules de son corps, coulaient dans ses veines, comme si elle renaissait à la vie. En même temps, une moiteur délicieuse palpitait entre ses cuisses, ses seins se gonflaient, comme pour réclamer les caresses de Zahir, de ses doigts, de sa bouche, de sa langue.

Rassemblant toute sa volonté, Saffy posa les mains sur le torse puissant de son ex-époux et se dégagea.

— Non…, murmura-t-elle. Je ne veux pas !

Une lueur amusée éclaira le regard de Zahir.

— Menteuse, dit-il d'une voix rauque. Tu as toujours aimé m'embrasser.

Envahie par une chaleur brûlante, Saffy ferma un instant les yeux pour ne plus le voir. Il embrassait comme un dieu. Mais comment oublier que, trompé autrefois par l'ardeur de leurs baisers, Zahir avait cru que leurs étreintes seraient à l'aune de cette passion ? Avant d'être cruellement déçu par la réalité. Se sentait-il encore floué ? Etait-ce pour cette raison qu'il l'avait fait venir de force dans ce château ?

— J'aimerais que tu me fasses conduire à l'aéroport et que le matériel nous soit restitué, dit-elle avec un calme qu'elle était loin d'éprouver.

Les paupières mi-closes, Zahir la regarda à travers ses épais cils noirs.

— Pas question.

Bien décidée à traiter le problème sous un angle purement matériel, Saffy redressa fièrement le menton.

— Que faut-il que je fasse pour te faire changer d'avis ? Tu veux que je me renseigne sur ces millions de livres dont tu as parlé tout à l'heure ? Je te promets de résoudre ce mystère dès mon retour à Londres.

— N'essaie pas d'esquiver le vrai problème : c'est toi que je désire.

La bouche sèche, la peau frémissant de mille étincelles

brûlantes, Saffy le regarda s'adosser au mur. Il était aussi excité qu'elle, elle le sentait.

Les joues en feu, elle répliqua à la hâte :

— Peut-être, mais l'on ne peut pas toujours obtenir l'objet de son désir, Zahir. Et tu sais très bien que tu as eu tort de me faire venir ici de force. Ton peuple serait scandalisé s'il l'apprenait.

— Je suis célibataire — et pas un eunuque.

— Tu es également intelligent et juste — du moins, tu l'étais autrefois.

— Alors, tu dois comprendre que je recherche la justice.

— Parce que tu n'as eu ni la nuit de noces, ni la mariée de tes rêves, tu penses pouvoir revenir en arrière d'un coup de baguette magique ? Sans machine à remonter le temps, c'est impossible, Zahir.

— Tu vas rester ici, affirma-t-il d'une voix rauque. Et ce n'est pas la jeune fille d'autrefois que je désire, mais la femme que tu es devenue.

— Je vis avec un autre homme, rétorqua Saffy en priant pour qua sa dernière arme fonctionne.

— McDonald te partage déjà avec d'autres, répliqua Zahir sans se troubler.

Saffy recula comme s'il l'avait giflée. Il avait lu ces ragots colportés par les tabloïds et les avait crus, évidemment. D'après les journalistes, elle couchait avec n'importe qui, n'importe quand, au gré de ses caprices. Il suffisait qu'un photographe la voie sortir de chez un homme pour en conclure qu'elle venait de se donner à lui. Comme si elle n'avait pas le droit d'avoir des amis.

Au fil du temps, elle avait appris à prendre les commentaires de la presse avec détachement, voire avec amusement. De toute façon, elle ne pouvait pas empêcher les journalistes d'imprimer ces mensonges. Et puis, n'était-ce pas le prix de la célébrité ?

— Tu te trompes, répondit-elle en redressant la

tête. Cameron et moi sommes très proches. C'est mon meilleur ami.

— Peu importe. Je veux seulement être ton amant, rien qu'une fois.

— Tu sais aussi bien que moi ce que cela a donné entre nous autrefois. Laisse-moi partir, Zahir. Me faire venir ici a été une décision absurde.

Il la regarda longuement, comme s'il prenait tout son temps, avant de répondre :

— Peut-être est-ce pour cela que c'est si bon.

— Tu ne sais pas ce que tu dis !

— Au contraire, je n'ai jamais été aussi sûr de moi.

Cette fois, Saffy sentit quelque chose craquer en elle. La journée avait été très longue, éreintante, et à présent Zahir ravivait des souvenirs cauchemardesques.

— Mais tu ne peux pas parler sérieusement… Tu ne peux pas envisager de me garder ici contre ma volonté… !

— Je ne te ferai aucun mal, répliqua-t-il d'un air buté.

— Mais, en me forçant à rester ici, tu m'en fais, du mal ! protesta-t-elle, à bout de nerfs. Comment peux-tu penser que tu as le droit de me faire ça ?

— Je m'y suis pris dans les règles : tes collègues ont été prévenus que tu avais accepté une invitation privée et que tu resterais quelques jours supplémentaires à Maraban. Personne ne s'inquiétera de ton absence, affirma Zahir sans dissimuler sa satisfaction.

— Tu ne peux pas me faire ça ! répéta Saffy, hors d'elle. De toute façon, c'est stupide : il ne se passera rien entre nous, tu le sais bien ! Tu perds ton temps, et le mien !

— Je n'ai qu'à te regarder pour savoir que je ne perds pas mon temps, dit-il d'une voix rauque.

— Et moi, tu te soucies de ce que j'en pense ? Je suis une femme libre et indépendante : personne ne m'oblige à rester quelque part contre mon gré, et rien au monde ne pourrait me persuader de partager de nouveau ton lit !

— Je vais demander à Fadith de te conduire à ta chambre.

Excédée, Saffy souleva un vase de Chine posé sur un piédestal et le lança de toutes ses forces sur Zahir. Mais, au lieu d'atteindre son but, le projectile alla s'écraser sur le foyer avant de tomber en mille morceaux sur le tapis.

— Ah..., fit Zahir d'un ton enjoué. J'avais oublié que, lorsque tu perdais le contrôle de tes émotions, tu me jetais parfois des objets à la figure !

Il souleva une tenture et appuya sur un dispositif caché.

— A tout à l'heure, nous nous retrouverons au moment du dîner.

Puis il se détourna et se dirigea vers la porte qui venait de s'ouvrir avec son assurance et sa grâce habituelles. Tremblant de la tête aux pieds, Saffy se força à inspirer à fond pour retrouver son calme.

Zahir ne perdait rien pour attendre : elle lui ferait payer cet outrage — au centuple !

3.

Saffy suivit Fadith, la jeune domestique qu'elle avait aperçue plus tôt, dans un long couloir menant à un escalier de marbre clair. Quelques instants plus tard, la jeune femme lui ouvrit la porte d'une chambre décorée dans un style traditionnel et raffiné.

Les meubles d'ébène étaient incrustés de motifs de nacre, et autour du grand lit à baldaquin de superbes rideaux de soie brodée se répandaient sur le tapis en plis souples. Dans la salle de bains attenante, Saffy découvrit une profonde baignoire de marbre veiné de rose, et tout le confort moderne. Quand elle regagna la chambre, Fadith lui présenta un plateau.

— Merci, murmura Saffy en saisissant le verre coloré gravé à l'or fin posé sur le plateau.

— Désirez-vous prendre un bain ? demanda la jeune femme en souriant.

Pressée de se retrouver seule, Saffy esquissa un bâillement.

— Non, merci. Pas maintenant. Peut-être tout à l'heure. Pour l'instant, je vais dormir un peu : je suis fatiguée, mentit-elle.

La jeune servante baissa les stores et ouvrit le lit avant de s'éclipser. Par prudence, Saffy attendit quelques minutes avant de s'aventurer hors de la chambre.

Elle n'avait certainement pas l'intention de rester avec Zahir ! Et vu qu'elle ne pouvait compter sur l'aide de personne, elle se débrouillerait seule. Une fois parvenue au rez-de-chaussée, Saffy traversa le grand hall et, découvrant un nouvel escalier, s'y engagea sur la pointe des pieds.

Au sous-sol, elle aperçut des chariots portant du matériel de nettoyage. Cet espace devait être réservé au personnel d'entretien. Un peu plus loin, des bruits de vaisselle et de voix s'élevaient, les cuisines sans doute ! Elle les évita avec soin et parvint enfin à une porte ouverte donnant sur l'extérieur.

Tout en veillant à ne pas se faire remarquer, Saffy balaya du regard la cour pavée : face au mur de gauche, une rangée de véhicules garés. Quelqu'un avait peut-être laissé la clé sur le contact de l'un d'eux ? Avec précaution, elle se décida à sortir de sa cachette et aperçut, à l'extrémité opposée de la cour, un 4x4 empli de militaires. Evidemment, songea-t-elle en s'accroupissant aussitôt derrière une voiture, ils suivaient Zahir dans tous ses déplacements et veillaient à sa sécurité.

Se redressant lentement, elle risqua un œil à l'intérieur de la voiture, puis se tordit le cou pour examiner le véhicule voisin : hélas, pas de clé laissée négligemment sur le contact... A cet instant, d'autres militaires apparurent, à pied, et entrèrent dans le château par un porche situé non loin du 4x4. A quatre pattes, Saffy se demandait comment continuer son exploration lorsque deux employés sortirent des cuisines en bavardant. Ils avaient sans doute terminé leur journée de travail et allaient rentrer chez eux.

Après avoir salué son collègue en arabe, l'un d'eux se dirigea vers une voiture et l'autre vers la camionnette derrière laquelle elle s'était tapie. Saffy ne parlait pas cette langue mais, heureusement, elle en avait retenu quelques mots. Elle ne s'était pas trompée : ils allaient bien rentrer chez eux... Donc, probablement en ville.

Elle hésita un instant. Les grilles étant gardées, il serait impossible de les franchir sans se faire repérer.

Mais peut-être en se dissimulant à bord de la camionnette aurait-elle une chance de passer inaperçue ?

Sans se laisser le temps de se raviser, elle enjamba le hayon et se glissa sous la bâche. Mais l'homme ne démarra pas tout de suite. Quelqu'un lui cria quelque chose et il sortit du véhicule.

Immobile, Saffy attendit en retenant son souffle. Finalement, le conducteur revint s'installer au volant et la portière claqua de nouveau, puis le bruit du moteur résonna, faisant vibrer toute la camionnette. Saffy laissa échapper un long soupir de soulagement. Mais bientôt, assise à même le plancher en métal, elle se trouva ballottée si violemment qu'elle serra les dents de douleur. Elle n'avait d'autre choix que de prendre son mal en patience. De toute façon, elle était prête à tout endurer pour échapper à Zahir.

Que lui avait-il pris d'ailleurs ? Après la catastrophe épouvantable qu'avait été leur mariage, comment avait-il pu désirer la revoir ?

Tout à coup, elle comprit : Zahir n'avait jamais supporté l'échec ! Son père l'avait élevé pour exceller dans tous les domaines, le punissant à la moindre erreur, au moindre signe de faiblesse. A présent, marqué à vie par son éducation, son ex-mari essayait de corriger le passé. Pourtant, il était intelligent, alors pourquoi ne se rendait-il pas compte que c'était impossible ? Tout le monde changeait, évoluait… Personne ne pouvait revenir en arrière !

Meurtrie par les secousses du véhicule qui roulait à tombeau ouvert sur la piste chaotique, Saffy essaya de s'appuyer plus confortablement contre le hayon tandis qu'une foule de souvenirs resurgissaient dans son esprit.

Elle avait rencontré Zahir pour la première fois alors que, à peine âgée de dix-huit ans, elle travaillait dans un grand magasin, au rayon cosmétiques. A l'inverse de sa jumelle, Saffy n'avait pas voulu entreprendre d'études supérieures, préférant entrer tout de suite dans la vie active pour gagner son indépendance.

De passage à Londres, Zahir avait accompagné sa sœur, Hayat, dans une virée shopping. Saffy se rappelait encore le tout premier instant où elle l'avait aperçu, la façon dont son cœur s'était mis à battre… Et lorsqu'elle avait croisé les yeux les plus fascinants qu'elle eût jamais vus, elle avait soudain senti sa respiration se bloquer dans sa poitrine

Hayat avait acheté des produits de maquillage pendant que Saffy et Zahir continuaient à se dévorer du regard. Car il semblait envoûté, lui aussi. Jamais elle n'avait ressenti une attirance aussi profonde, pour aucun homme. Des sensations inconnues étaient nées en elle, l'enveloppant d'une brume féerique.

Après lui avoir demandé à quelle heure elle quittait son travail, Zahir lui avait annoncé qu'il viendrait la chercher.

Ils s'étaient revus plusieurs fois et Saffy avait appris qu'il était officier de l'armée de Maraban, mais il n'avait pas précisé qu'il appartenait à la famille royale. Lorsqu'elle avait parlé de lui à sa mère, Odette, chez qui elle avait habité brièvement à ce moment-là, celle-ci l'avait regardée en riant.

— Profite bien de ton bel officier ! Dans quelques jours il s'en ira et tu ne le reverras plus jamais.

Tout d'abord, cette perspective l'avait terrifiée. Elle était déjà si éprise de Zahir… Aussi, quand il lui avait annoncé qu'il reviendrait le mois suivant en Angleterre, pour suivre une formation à l'académie militaire de Sandhurst, avait-elle été folle de joie.

De cette période heureuse, elle gardait quelques souvenirs romantiques : elle se revoyait assise à côté de Zahir à l'ombre d'un cerisier en fleur tandis qu'il lui ôtait un pétale des cheveux ; installée en face de lui dans un café, leurs mains enlacées sur la table ; riant ensemble devant un spectacle de mime de rue. Dès le début de leur relation, Zahir avait détenu la clé de son cœur et gagné sa confiance. Et puis, à la différence de ses précédents petits amis, il était patient et n'avait pas tenté de coucher avec elle dès leur deuxième rendez-vous.

En revanche, il se montrait méfiant vis-à-vis des cours de mannequinat qu'elle suivait à temps partiel. Bien sûr, elle lui avait expliqué qu'elle ne comptait pas faire de nu, ni poser pour des marques de lingerie, mais elle s'était vite rendu compte qu'il avait une façon de voir les choses un peu rétrograde. Qu'importe, elle admirait son sérieux, son intelligence, et son amour inconditionnel pour son pays, Maraban.

Bien avant la fin de sa formation à Sandhurst, Zahir lui avait demandé sa main et révélé sa véritable identité. A l'époque, ce titre princier n'avait fait que renforcer l'impression qu'elle avait de vivre un conte de fées. Quelle idiote !

Ils s'étaient mariés au cours d'une brève cérémonie, à l'ambassade de Maraban, sans aucun membre de la famille royale et sans la permission du roi. Avec le recul, elle comprenait l'outrage qu'avait représenté cette audace. Car Zahir devait savoir que son père n'accepterait jamais qu'il épouse une étrangère.

Les yeux fermés, Saffy se plongea dans ce qui avait été la partie la plus triste de sa vie. Ce n'était qu'à son arrivée à Maraban qu'elle avait commencé à comprendre ce qui l'attendait. Tout d'abord il y avait eu la nuit de noces. Zahir ayant tenu à ce que celle-ci ait lieu à Maraban. Hélas, Saffy avait tellement paniqué lorsqu'elle s'était retrouvée au lit avec son mari que cette première nuit s'était transformée en une véritable catastrophe. Quant à sa vie quotidienne, elle s'était vite révélée proche de l'emprisonnement.

Dans de pareilles conditions, leur union s'était rapidement détériorée, bien sûr. Incapable de s'abandonner au désir que lui inspirait son époux, Saffy n'avait su comment lui expliquer ses blocages et, de son côté, Zahir avait paru totalement dérouté par ses peurs.

Toute intimité était alors devenue source d'embarras et leurs conversations s'étaient rapidement limitées à des échanges tendus, voire agressifs ou amers. Puis Zahir s'était mis à s'absenter, de plus en plus souvent et de plus en plus longtemps.

La camionnette s'arrêta brusquement. Une portière claqua, et Saffy entendit des voix masculines toutes proches. Lorsque le silence revint, elle se risqua à soulever la bâche, et constata avec surprise que la nuit était déjà tombée. Elle sortit de sa cachette et posa le pied sur la piste sablonneuse : une immense tente se dressait majestueusement devant elle.

Consternée, Saffy scruta l'obscurité autour d'elle. Soudain, une haute silhouette vêtue d'un caftan beige clair sortit de la tente.

— Il fait froid, dit-il. Viens, entre.

Pétrifiée, Saffy sentit le souffle lui manquer.

— Zahir… Qu'est-ce que tu fais ici ?

Il dénoua son turban d'un seul geste, libérant ses épais cheveux noirs.

— C'est moi qui conduisais la camionnette.

— Pardon ?

— Le système de surveillance vidéo du palais est très sophistiqué, répliqua-t-il d'une voix calme. Après t'avoir vue grimper à l'arrière de la camionnette, sur mon écran, j'ai pensé que j'étais le mieux placé pour te servir de chauffeur.

— J'ai passé plus d'une heure sous cette bâche, riposta-t-elle avec colère. J'ai cru que mes os allaient se détacher !

Zahir haussa les épaules avec indifférence.

— Personne ne t'a forcée à t'y installer, que je sache.

— Très drôle ! lança-t-elle en le foudroyant du regard. Tu aurais pu conduire un peu plus doucement !

— J'ai pensé que cela te servirait de leçon d'être un peu secouée. Il faut être stupide pour monter dans un véhicule sans savoir qui est au volant, ni la destination qu'il va prendre.

— Je t'interdis de m'insulter ! Je ne suis pas stupide,

— Pourtant, c'était *très* stupide de prendre un tel risque.

— Je n'aurais pas eu à prendre de risque si tu ne m'avais pas fait enlever !

— Au château, tu étais en sécurité, et tu resteras sous ma protection jusqu'à ton retour à Londres, déclara-t-il d'un ton sans appel. Maintenant, je propose que tu viennes te changer et dîner. Je meurs de faim.

— Je me fiche que tu aies faim ! Comment as-tu pu me faire ça ? Après m'avoir enlevée et séquestrée dans ton vieux château, tu m'amènes sous une *tente* ? Je te hais !

Un éclat farouche traversa les yeux noirs de Zahir.

— Quand tu seras disposée à te montrer plus polie, tu pourras venir me rejoindre.

Puis il se détourna et disparut à l'intérieur de la tente, la plantant là, les poings serrés et bouillant de rage. Quelle pauvre imbécile elle faisait ! Zahir avait dû suivre sa tentative minable de fuite sur son écran, confortablement installé dans son bureau ! Ensuite, il avait sans doute prêté un autre véhicule au propriétaire de la camionnette et pris sa place.

A cause de lui, elle s'était ridiculisée. Cela faisait des années que Saffy n'avait pas cédé à une telle colère. En général, elle se montrait d'une patience d'ange. N'était-ce pas son sang-froid, même dans les moments de stress intense, qui faisait sa réputation dans la profession ? Mais, face à une personnalité aussi dominatrice que celle de Zahir, elle perdait vite son calme.

Elle s'étira longuement et s'appuya contre la portière de la camionnette. Bon sang, maintenant que le soleil était couché, il faisait un froid glacial et elle ne portait qu'un fin T-shirt. Tremblant de la tête aux pieds, elle se frotta les bras pour se réchauffer, mais en vain.

Lorsqu'elle n'y tint plus, elle se dirigea vers la tente et souleva le pan de toile. En fait, l'intérieur était encore plus vaste qu'elle ne l'avait pensé. S'avançant sur les kilims traditionnels aux couleurs chatoyantes, elle découvrit des sofas entourant le foyer. Installé sur l'un d'eux, Zahir s'adressait à un vieil homme qui disparut bientôt après s'être incliné devant lui.

— Où sommes-nous ? demanda-t-elle d'un ton brusque.

— Dans un campement où je viens régulièrement rencontrer les cheikhs des différentes tribus de mon pays. Je sais que la tente n'est pas l'hébergement que tu préfères, mais celle-ci t'offrira néanmoins tout le confort que tu puisses désirer, dit-il d'une voix onctueuse. Derrière la seconde tenture que tu vois sur ta gauche, tu trouveras la porte de la salle de bains.

— Je suppose que ce n'est pas la peine d'espérer y trouver une douche ? répliqua-t-elle d'un ton crispé.

— Eh bien, tu te trompes. Va te changer : des vête-ments ont été préparés pour toi.

Le cœur battant trop fort, Saffy arracha à regret son regard du beau visage de Zahir. Dire qu'elle avait échappé au château pour se retrouver coincée sous une tente avec lui. Quelle réussite ! Soulevant la tenture, elle pénétra dans une salle de bains équipée de tout le confort moderne.

Après s'être déshabillée rapidement, elle entra dans la cabine de douche et offrit son visage au jet puissant en fermant les yeux. Elle avait eu si froid qu'il lui fallut un long moment pour se réchauffer.

Enveloppée dans une épaisse serviette moelleuse, elle se sécha ensuite longuement les cheveux. N'était-ce pas incroyable un tel confort, l'eau courante et l'électricité dans cette gigantesque tente ?

Un caftan de soie et une paire de mules en cuir étaient posés sur un guéridon aux pieds sculptés. Renonçant à remettre ses sous-vêtements, elle enfila le caftan. A vrai dire, elle n'avait aucune idée de ce qu'elle porterait le lendemain. En effet, après ce trajet épouvantable effectué à l'arrière de la camionnette, son pantalon et son T-shirt étaient dans un état lamentable.

Une fois prête, elle alla rejoindre Zahir.

— Je peux faire servir le dîner ?

Saffy hocha la tête en silence. Zahir s'était changé lui aussi. Il avait abandonné sa longue tunique pour un jean et une chemise en coton blanc. Ses cheveux encore humides encadraient son visage à la peau hâlée, et ses yeux aux reflets ambrés luisaient dans la lumière douce.

Incapable de réprimer le trouble qui l'envahissait tout entière, Saffy détourna le regard. Seigneur, ses réactions étaient absurdes : elle réagissait comme une adolescente alors qu'ils étaient séparés depuis des années et qu'elle s'était bâti une vie à elle, loin de lui et de Maraban.

— Je te préviens, il n'y a ni table ni chaises, poursuivit Zahir.

Puis il s'assit avec une grâce féline sur l'un des sofas disposés autour du foyer.

— Cela ne me dérange pas, murmura-t-elle en s'installant face à lui, de l'autre côté du foyer.

Une jeune domestique apparut par l'une des portes, suivie d'une deuxième, chacune portant un grand plateau.

— Il y a aussi une cuisine ?

— Oui, c'est indispensable lorsque je reçois des hôtes.

Saffy repensa à ce que Zahir avait dit à propos des cheikhs tribaux qu'il recevait ici. Mais qu'en était-il des femmes ? Combien en avait-il amené ici au fil des années ? Depuis leur divorce, elle l'avait souvent vu en photo dans différents magazines en compagnie de créatures superbes. Visiblement, lorsqu'il voyageait à l'étranger, il ne se privait pas d'accumuler les conquêtes féminines… Malgré elle, une vive douleur lui avait déchiré la poitrine à la pensée que ces femmes partageaient le lit de Zahir, et lui donnaient ce qu'elle-même avait été incapable de lui offrir.

Zahir regarda Sapphire s'installer plus confortablement et plier ses longues jambes sous elle pour s'asseoir en tailleur. Elle avait toujours eu ce don de paraître aussi fraîche qu'une rose au sortir de la douche, comme si l'eau brûlante avait sur elle un effet régénérant. Sa beauté n'avait besoin d'aucun apprêt et c'était ainsi qu'il la préférait : naturelle. Lorsqu'elle prit une mèche blonde entre ses doigts, il se souvint aussitôt de la sensation soyeuse de ses longs cheveux sur sa peau.

Zahir refoula le désir que ces souvenirs éveillaient en lui. Cette femme splendide avait une caisse enregistreuse à la place du cœur, il ne devait pas l'oublier. La nonchalance avec laquelle elle avait laissé tomber le sujet des cinq millions de livres, sans lui fournir d'explication valable, n'en était-elle pas la meilleure preuve ? Peut-être donnait-elle sa pension à un membre de sa famille, en guise d'argent de poche… Mais, en tout cas, elle avait accepté son argent sans poser de question.

Une assiette en équilibre sur les cuisses, Saffy goûta à chacun des plats appétissants présentés sur les plateaux. En vérité, elle mourait de faim ! Tout en dégustant ces mets exquis, elle observa Zahir à la dérobée. Le visage sérieux, concentré sur le contenu de son assiette, il était d'une beauté renversante.

Troublée, elle se força à baisser les yeux en refoulant les visions torrides qui défilaient dans son esprit. Même si elle avait été incapable de faire l'amour avec lui pendant leur mariage, elle avait appris à procurer du plaisir à Zahir autrement. Ce souvenir fit naître une chaleur brûlante au creux de son ventre. Mal à l'aise, elle changea de position sur les coussins. A l'époque, Zahir n'avait jamais compris ce qui n'allait pas chez elle. Comment l'aurait-il pu ? Toutefois, il avait fait tout son possible pour la rassurer et apaiser ses craintes. Hélas, elles étaient si ancrées en elle, dans son inconscient, que ni Zahir ni elle n'auraient pu faire quoi que ce soit, elle le savait maintenant. Seules de longues séances de thérapie lui avaient permis de découvrir la cause de cette incapacité à se livrer. Une cause remontant à son enfance...

— Pourquoi as-tu désiré me revoir, Zahir ?

Un éclat doré illumina son regard lorsqu'il croisa le sien.

— Peu d'hommes oublient leur premier amour... Et puis, c'est toi qui es partie.

Son premier amour... Saffy sentit un nœud se former dans sa poitrine. Oui, leur histoire avait d'abord été une histoire d'amour. Avant de se désagréger au cours de l'année qui avait suivi leur mariage...

L'une des jeunes domestiques réapparut et emporta les assiettes vides, avant de revenir avec des pâtisseries colorées et du café à l'arôme puissant.

Saffy choisit une corne de gazelle et la mangea rapidement, comme pour combler le vide qu'elle sentait en elle. Elle ne pouvait regarder Zahir. Car, au moindre regard, elle risquait de perdre tout contrôle de ses émotions et de redevenir la jeune femme fragile qu'elle était quand ils étaient mariés.

— J'ai désiré te revoir avant de me remarier, poursuivit Zahir.

Au moment où ces mots s'échappaient de sa bouche, Zahir tressaillit. Il n'avait certes pas prévu d'en dire autant. Pourtant, c'était la vérité. Jamais il ne se serait autorisé à revoir Sapphire après s'être choisi une seconde épouse. Parce qu'il ne se serait pas fait confiance. Bon sang, cette femme avait toujours provoqué les réactions les plus excessives chez lui !

Visiblement choquée, Sapphire secoua la tête, ses cheveux dorés ondoyant sur ses épaules.

— Tu vas te remarier ? demanda-t-elle d'une voix rauque.

— Je n'ai encore personne en vue, mais mon statut exige que je prenne une épouse. Je dois satisfaire l'attente de mon peuple.

Saffy baissa les yeux sur son assiette blanche décorée d'arabesques dorées. Bien sûr, en tant que roi de Maraban, Zahir devait donner un héritier à son pays. Mais tout cela ne la concernait en rien. Alors, pourquoi cette perspective la perturbait-elle autant ?

Soudain, elle se sentit envahie par une lassitude extrême et réalisa qu'elle était debout depuis 5 heures du matin. Réprimant un bâillement, elle déplia ses jambes et se leva.

— Je suis très fatiguée…

Zahir se leva à son tour d'un mouvement leste et la rejoignit en quelques pas. Doucement, il lui posa la main sur l'épaule. Le cœur battant, Saffy contempla sa belle bouche sensuelle, si proche de la sienne, ses yeux bordés de longs cils noirs…

— Oui, tu es fatiguée, ce soir. Je te laisserai dormir… Pour cette nuit.

La voix profonde de Zahir résonna dans les moindres cellules du corps de Saffy, y faisant naître des étincelles délicieuses.

Pour cette nuit… A la pensée de se retrouver dans le lit de Zahir, un long frisson la parcourut. Mais ce n'était pas de la crainte, comme autrefois. Non, c'était bien plus puissant. Et lorsque, lentement, il laissa remonter ses doigts sur sa peau nue, vers son cou, Saffy dut faire appel à toute sa volonté pour ne pas s'appuyer contre lui.

Sans un mot, il pencha la tête et prit sa bouche avec

passion. Alors, elle s'embrasa tout entière. Au lieu de l'effrayer, la chaleur qui se répandait entre ses cuisses lui procurait une sorte de jubilation. A chaque nouvelle caresse de la langue de Zahir, à chacun de ses baisers affamés, elle se sentait entraînée dans un territoire inconnu où tout était sensualité.

— Au lit, murmura-t-il en écartant son visage du sien.

Puis il la souleva dans ses bras et poussa la porte d'un coup d'épaule.

— Pour ce que j'ai en tête, je te veux bien réveillée demain, et en pleine forme, ajouta-t-il en la déposant sur un grand lit garni de draps de lin blanc.

Puis, il se redressa et se dirigea de nouveau vers la porte. Saffy le regarda disparaître en savourant le goût de sa bouche resté sur ses lèvres, sur sa langue. En proie à une multitude de sentiments contradictoires, elle se tourna sur le côté et enfouit son visage dans l'oreiller. Elle avait besoin d'un homme, elle le cherchait depuis des années, mais pas celui-là ! Hélas, jamais elle n'avait réussi à désirer un autre homme comme elle le désirait. Quoi qu'elle fasse, c'était comme s'il était le seul homme avec lequel elle puisse envisager de partager son intimité.

A cette pensée, des larmes de colère et de frustration lui montèrent aux yeux. Après le divorce, terrifiée à la perspective d'essuyer un nouvel échec, elle avait vécu dans la solitude en essayant de panser ses blessures. Mais plus tard, quand elle avait achevé sa thérapie, Saffy avait ardemment désiré se débarrasser de sa virginité, avec un amant qui lui permettrait de se prouver qu'elle était bel et bien guérie. Qu'elle avait enfin surmonté ce traumatisme, subi dans son enfance, qui lui empoisonnait la vie depuis.

Elle voulait juste être normale ! N'était-ce pas légitime ? En revanche, elle aurait préféré que son premier amant ne soit pas l'homme qui, non content de lui avoir brisé le cœur autrefois, se préparait maintenant à en épouser une autre.

Zahir prit une douche très froide. La colère se mélangeait en lui à toutes sortes de souvenirs dérangeants. Il revoyait Sapphire trembler de peur quand il essayait de lui faire l'amour, aux premiers temps de leur mariage. Jamais il n'avait pu oublier ce moment où tout basculait, où son désir se transformait soudain en terreur, sans qu'il ne puisse rien faire pour l'apaiser.

Bien sûr, il avait acquis depuis pas mal d'expérience en matière de sexe. Mais il était toujours terriblement méfiant quant aux signaux que lui envoyait Sapphire. Elle semblait le désirer autant qu'il la désirait, mais ne s'était-il pas cruellement trompé à ce sujet jadis ? Qu'est-ce qui l'empêchait de se tromper de nouveau ? Pourtant, à la pensée de Sapphire dans son lit, offerte, à l'idée qu'il pouvait la prendre, maintenant, un impitoyable besoin d'assouvir son désir l'envahit.

Lorsqu'elle entendit la porte se rouvrir, Saffy se raidit. Oh non ! Elle devait avoir les yeux et le nez rouges !

Immobile à l'entrée de la chambre, uniquement vêtu d'un caleçon de soie noire, Zahir darda sur elle un regard incandescent.

— Il n'y a qu'un lit…, commença-t-il d'une voix rauque.

— Ce n'est pas grave, répliqua-t-elle à la hâte.

Après s'être redressée, elle se leva en entraînant le dessus-de-lit de soie sauvage avec elle.

— Je dormirai par terre, mais tu aurais pu t'installer à côté, sur l'un des sofas, non ?

— C'est absolument hors de question, répondit-il en fronçant les sourcils. Et tu ne peux pas dormir par terre…

— Je fais ce que je veux, l'interrompit-elle en étalant le couvre-lit sur le kilim.

Puis elle s'allongea sur le sol, sous le regard désapprobateur de Zahir.

— Pas en ma présence.

Sans attendre sa réponse, il se pencha et la souleva dans ses bras avant de la déposer sur le lit.

— Je ne dormirai pas avec toi ! protesta Saffy.

— Vraiment ? N'as-tu pas encore compris que, cette fois, c'était moi qui dictais les règles ?

Les joues brûlantes, Saffy détourna le regard. Puis, se sentant soudain ridicule de faire autant d'histoires, elle se glissa entre les draps.

— Tout est ta faute. Tu n'aurais jamais dû m'amener ici !

Zahir faillit éclater de rire. Au lieu d'être irrité par l'attitude de Sapphire, il savourait cette façon qu'elle avait de le traiter en égal. C'était si rafraîchissant, par rapport à l'attitude des gens qu'il fréquentait d'habitude. Sapphire ne battait pas des cils, ne baissait pas les yeux d'un air soumis et docile. Elle ne lui adressait aucune des paroles flatteuses dont les femmes l'abreuvaient.

Après avoir repoussé le drap, il s'assit dans le lit et se tourna vers la jeune femme. Ses longs cheveux blonds répandus sur l'oreiller blanc formaient un halo de lumière autour de son visage à l'ovale parfait. Et il en montait ce parfum, discret et délicat, qui n'appartenait qu'à elle. Ces effluves fleuris réveillèrent des souvenirs qu'il aurait préféré oublier.

— On n'est pas bien, comme ça ? lança Saffy d'un ton moqueur.

— Ne me provoque pas…, répliqua Zahir d'une voix douce.

— Ton anglais s'est beaucoup amélioré, remarqua-t-elle sans croiser son regard. Tes progrès sont-ils dus à la fréquentation des femmes occidentales ou as-tu pris des cours ?

— Je ne suis pas un libertin, dit-il sèchement.

— Oh ! je m'en fiche, cela ne me regarde pas, répliqua-t-elle d'un ton trop détaché à son goût.

Saffy inspira à fond avant de trouver le courage de regarder Zahir. Jamais elle ne lui avait vu ces yeux si noirs, si froids. Les mâchoires serrées, il s'allongea en lui tournant le dos. Puis, se retranchant dans le silence comme il savait si bien le faire, il éteignit la lampe de chevet.

Cinq ans plus tôt, il avait souvent agi ainsi, refusant de partager ses pensées avec elle, ou de lui dire d'où il revenait quand il rentrait après s'être absenté, parfois plusieurs semaines d'affilée.

Les yeux fermés, elle le revit à l'entrée de la pièce, vêtu de son seul caleçon noir, et sourit dans l'obscurité. Pour elle, Zahir demeurait l'incarnation même de la perfection virile, et le symbole de la beauté masculine.

Serait-il amusé, ou offensé, s'il savait que c'était à lui qu'elle pensait, son image qu'elle voyait distinctement, quand elle prenait des poses sexy pour les photographes ou devant la caméra ?

4.

Saffy se réveilla en sueur et tressaillit violemment : au cours de la nuit, elle et Zahir s'étaient rejoints au centre du lit où ils se trouvaient maintenant étroitement enlacés — et une chaleur extraordinaire émanait du corps de Zahir.

Plus troublant encore, une puissante érection était pressée contre la cuisse de Saffy.

Le matin, il en était toujours ainsi, se souvint-elle. En revanche, l'intensité du désir qui palpitait en elle était entièrement nouvelle. Avec un frisson, elle détacha sa main posée sur le biceps de Zahir en réprimant l'envie de laisser ses doigts explorer cette peau ferme et chaude. Autrefois, même si elle ne pouvait supporter que Zahir la touche, elle avait *adoré* le caresser.

A cet instant, ses cils noirs frémirent, puis il souleva lentement les paupières. Saffy voulut s'écarter mais Zahir fut plus rapide qu'elle et glissa les mains dans ses cheveux pour la retenir.

— Je suis tout à toi, ronronna-t-il, comme un chat sauvage prêt à dévorer sa proie.

— Je ne comprends pas ce que tu veux dire.

— Tu me dis à quoi tu pensais ? dit-il d'une voix rauque. Ou c'est moi qui te dis à quoi je pense, là, maintenant ?

— Lâche-moi !

Il la libéra et roula sur le dos tandis qu'un spasme presque douloureux contractait le ventre de Saffy.

— Tu ne veux pas t'en occuper ? Il faut que je le fasse moi-même ? demanda-t-il en baissant les yeux sur son érection, visible sous le drap.

Il la provoquait, elle le savait. Mais, malgré son ton narquois, elle n'avait qu'une envie : s'allonger sur lui, embrasser chaque centimètre de ce corps sublime, laisser descendre ses lèvres sur son ventre, jusqu'à…

Avec un petit gémissement, elle se redressa et quitta le lit pour aller se réfugier dans la salle de bains.

Zahir l'avait enlevée, lui avait pris sa liberté et elle avait fini par se retrouver dans son lit. Et voilà qu'elle se réveillait collée à lui, dévorée par le désir de le caresser, avec ses mains, avec sa bouche, jusqu'à ce qu'il s'envole dans la jouissance. Jusqu'à présent, c'était sa seule réussite, la seule satisfaction qu'elle ait connue dans l'intimité avec un homme. Jamais, encore, elle ne s'était *unie* à un amant.

Et Zahir n'était pas cruel — il était somptueux. N'était-ce pas le moment de faire taire ses peurs à tout jamais ? Refusant d'analyser plus avant les contradictions qui l'assaillaient, Saffy se brossa énergiquement les dents. Au moment où elle allait reposer sa brosse, des coups énergiques furent frappés à la porte.

Après un instant d'hésitation, elle l'ouvrit d'une main ferme et se trouva face à Zahir qui la regardait d'un air faussement contrit.

— Je plaisantais, dit-il.

— Non, ce n'est pas vrai.

Il leva les mains au ciel, puis un petit sourire se dessina au coin de ses lèvres.

— Bon, je n'aurais pas dit non, je le reconnais… Je suis un homme et je garde des souvenirs très excitants de toi.

— Exci… *Excitants ?*

Il se moquait d'elle !

Sans répondre, Zahir contempla les cheveux dorés tombant comme un voile sur les épaules minces et rondes de son ancienne épouse, ses yeux d'un bleu porcelaine, ses joues… Etonné, il constata qu'une légère roseur avait envahi ses hautes pommettes. Pourquoi cette pudeur ? Sapphire n'était plus une jeune fille innocente…

— Oui, au lit, tu étais *très* excitante.

Saffy sentit un frisson glacé la parcourir en pensant aux autres femmes qu'il avait connues après leur divorce.

— A présent, tu peux faire des comparaisons, n'est-ce pas ?

— Ne le prends pas comme cela, c'est insultant, protesta Zahir. Si j'avais su comment m'y prendre autrefois, nous n'aurions pas eu de problèmes.

Consternée, Saffy le dévisagea. Pensait-il vraiment ce qu'il venait de dire ?

— C'est ce que tu as pensé ? Que c'était *ta* faute ? Tu te trompes tellement, Zahir ! Tu n'aurais rien pu faire pour m'aider, crois-moi. J'avais besoin de l'aide d'un professionnel.

Choquée d'avoir été si proche de lui révéler ne serait-ce qu'une part infime de son plus grand secret, elle s'interrompit.

— Comment cela, l'aide d'un professionnel ?

— Oublie ce que j'ai dit. Je n'ai pas envie d'en parler…

Non, elle n'avait pas l'intention de lui raconter ce qu'elle avait traversé quelques années plus tôt. Et puis, elle ignorait comment il réagirait s'il apprenait la vérité. Il verrait peut-être en elle une créature souillée… En tout cas, il ne voudrait plus d'elle. Et elle ne voulait pas prendre ce risque.

Cet homme superbe la désirait et, de son côté, elle était toujours autant attirée par lui qu'à dix-huit ans. Etait-ce ridicule cette fascination pour son premier amour, cette envie de vivre avec lui le désir qu'elle n'avait jamais éprouvé pour un autre ?

Au fond, cela n'avait pas d'importance. Elle avait l'opportunité d'avancer, de devenir une femme à part entière, sans courir le risque de se retrouver liée à Zahir. Si elle couchait avec lui, personne ne le saurait et, ensuite, elle ne le reverrait jamais plus…

Une chance s'offrait enfin à elle de vivre les plaisirs qu'elle souhaitait ardemment découvrir. Et puis, le sexe, n'était-il pas un acte purement physique ? Un acte qui ne signifiait rien d'autre que le désir entre deux personnes ? Bien sûr, ce n'était pas tout à fait l'état d'esprit dans lequel sa sœur, Kat, l'avait élevée. Mais elle avait testé le mariage *par amour*, et cela avait été un échec désastreux, qui l'avait laissée détruite et malheureuse.

Du sexe, pur et simple, c'était parfait, décida-t-elle en ignorant la sensation désagréable qui s'insinuait en elle. Elle était suffisamment mûre pour s'offrir une aventure sans lendemain.

Décidée, elle releva la tête et fixa Zahir dans les yeux.

— Retourne te coucher, murmura-t-elle. Je te rejoins dans quelques minutes…

Zahir plissa le front d'un air perplexe.

— Pardon ?

Feignant une assurance qu'elle était loin d'éprouver, elle haussa nonchalamment une épaule.

— Il ne s'agit que de sexe, alors pas la peine d'en faire une montagne…

Visiblement abasourdi, il la contempla un instant en silence.

— C'est vraiment ainsi que tu vis tes relations avec les hommes ?

— Oui, répondit-elle avec une petite moue dédaigneuse.

Zahir s'avança d'un pas et leva la main pour lui caresser la joue.

— Si tu es sincère, c'est triste, dit-il en la regardant dans les yeux. Je désire partager plus que du sexe avec toi : je veux t'offrir de la passion.

— Non, murmura-t-elle. Il ne faut pas… Tu as dit toi-même que c'était moi qui étais partie.

— Ce n'est pas aussi simple, répliqua-t-il d'une voix rauque.

Un éclat doré, brûlant, avait envahi ses prunelles sombres, et une telle chaleur irradiait de son regard que Saffy put à peine en soutenir l'intensité.

— Ne cherche pas de complications, chuchota-t-elle.

Elle sentit ses propres lèvres tressaillir, comme si elles réclamaient la caresse de celles de Zahir.

— Entre nous, ça a toujours été compliqué, Sapphire.

Se haussant sur la pointe des pieds, elle lui offrit sa bouche pour le faire taire et, quand il l'embrassa, elle eut l'impression que son cœur allait s'arrêter de battre. Zahir mettait une telle passion dans son baiser, une telle intensité…

Comme s'il avait deviné son trouble, Zahir la souleva dans ses bras et l'emporta vers le lit. Puis il reprit sa bouche et enfonça sa langue entre ses lèvres avant de l'enrouler à la sienne avec fougue.

— J'avais pensé devoir te séduire, reconnut-il en s'écartant un instant pour reprendre son souffle.

Saffy se contenta de hausser les sourcils en lui adressant un petit sourire moqueur. Il devait la prendre pour une femme facile, toujours prête à vivre une aventure avec un homme séduisant et anonyme. Mais qu'importe ! Elle se moquait bien de ce qu'il pensait d'elle, elle avait décidé de s'offrir à Zahir, *pour elle-même*. Au fond, sa décision n'avait rien à voir avec son désir à lui. C'était elle qui contrôlait la situation. Pas Zahir. Et il ne s'agissait que de sexe. Hors de question de se laisser de nouveau submerger par un maelström d'émotions incontrôlables.

— Appelons les choses par leur nom, Zahir ! dit-elle d'un ton désinvolte. N'est-ce pas pour coucher avec moi que tu m'as amenée ici ?

— Tu as changé, dit-il en fronçant les sourcils.

— Bien sûr que j'ai changé ! J'ai grandi, mûri, et

compris que les contes de fées, ça n'existait pas. J'ai divorcé, l'aurais-tu oublié ?

Il reprit alors sa bouche avec fièvre, presque avec colère, mais cette colère ne lui faisait pas peur. Au contraire, elle exacerbait son désir. Et, lorsqu'il l'attira vers lui pour l'asseoir sur le lit, et fit passer le caftan par-dessus sa tête, elle le laissa faire.

— Tu es toujours la plus belle femme que j'aie jamais rencontrée, dit-il d'une voix rauque.

Les joues en feu, Saffy réprima l'envie de refermer les bras pour dissimuler sa poitrine. Bon sang, comment était-il possible qu'elle ne se sente toujours pas à l'aise, nue, devant Zahir ? La crainte de revivre le même échec qu'autrefois la saisit avec une telle force qu'elle eut du mal à ne pas tendre la main vers le drap pour s'en couvrir.

Lors des défilés, elle avait l'habitude de se dénuder complètement entre chaque passage, au milieu d'un tas de personnes, et cela ne la gênait pas. Mais se retrouver nue devant Zahir, c'était si différent, si… intime. Et puis, il dardait sur elle ce regard incandescent, qui l'atteignait au plus profond de son cœur.

Avec une lenteur presque insupportable, il tendit les bras vers elle et lui caressa les seins sur lesquels ressortaient les pointes rose foncé de ses tétons. Et quand il les fit rouler entre ses doigts, elle laissa échapper un halètement et ferma un instant les yeux. Des ondes de volupté naissaient à l'endroit le plus secret de son corps tandis que le plaisir se répandait entre ses cuisses.

Sans cesser de la caresser, Zahir la poussa doucement jusqu'à ce qu'elle se retrouve étendue sur le dos.

Mon Dieu, pourvu que tout se passe bien, cette fois, pria Saffy en silence, comme pour conjurer les vieilles peurs qui menaçaient de la submerger à chaque instant.

*
* *

Fasciné par la beauté de Sapphire, Zahir ne parvenait pas encore à croire que c'était bien elle qui était étendue là, passive mais consentante. Elle ne paraissait pas effrayée comme autrefois, et de son côté il avait l'impression étrange que ses fantasmes resurgissaient tous en même temps. A vrai dire, il ne savait pas à quoi il s'était attendu, mais une chose était sûre : son ex-femme avait changé de façon spectaculaire. Et cette pensée l'obsédait, l'emplissait de rage : des hommes avaient réussi là où lui-même avait misérablement échoué.

Dieu qu'il avait envie de poser des questions, d'exiger des réponses ! Mais il n'était pas sûr d'aimer les réponses qu'elle pourrait lui donner. Et puis, comment être sûr que Sapphire ne s'offrait pas à lui en victime sacrificielle, simplement pressée d'en finir ? Cette éventualité lui était encore plus insupportable.

— Si tu ne veux pas, dis-le-moi, murmura-t-il enfin.

Sidérée, Saffy rouvrit les yeux. Manifestement, elle ne donnait pas l'impression d'être détendue et prête à se livrer à une étreinte passionnée…

— Je le veux… Je *te* veux, murmura-t-elle.

— Alors, caresse-moi, répliqua-t-il d'une voix impérieuse.

D'une main d'abord hésitante, elle obéit et effleura son torse. Sa peau était chaude, sa toison brune douce, et les muscles frémissaient sous sa paume. Et quand elle laissa glisser ses doigts sur son ventre, jusqu'à son sexe ferme, Saffy sentit tout le corps de Zahir se tendre sous ses caresses.

Son érection pulsait sous ses doigts, sous la peau si fine et si soyeuse. A la pensée que ce sexe puissant allait s'introduire en elle, une peur familière l'envahit :

serait-elle capable de l'accueillir, comme les autres femmes le faisaient ?

Zahir poussa une longue plainte rauque, puis s'allongea à côté d'elle et ferma les yeux. Ses cheveux noirs ressortaient sur l'oreiller blanc, offrant un tableau d'une beauté à couper le souffle.

— Doucement, chuchota-t-il. Je suis trop excité.

La main légèrement tremblante, Saffy desserra les doigts et les posa sur son ventre plat et musclé. A présent, elle désirait que Zahir la touche, avec une telle intensité que ça en devenait douloureux. Mais, en même temps, elle était terrifiée à la perspective de perdre son contrôle.

Et lorsque, soudain, Zahir passa une jambe entre les siennes pour les écarter, elle sentit sa respiration se bloquer dans ses poumons. Le moment de vérité était venu…, songea-t-elle avec une appréhension atroce.

Mais Zahir semblait déterminé à prendre son temps. Comme s'il avait compris que, brûlant de désir, elle vibrait aussi de peur, il fit lentement remonter ses doigts le long de sa cuisse, en une caresse exquise.

Se forçant à respirer régulièrement, Saffy se rappela qu'il ne lui avait jamais fait de mal. Non, elle n'avait aucune raison d'avoir peur de Zahir. Avec une lenteur délicieuse, il fit remonter ses doigts jusqu'à la toison qui couvrait son pubis… Lorsqu'il la toucha, Saffy se mordit la langue si violemment qu'elle sentit un goût de sang dans sa bouche. Elle tremblait d'excitation, avide d'en découvrir davantage, de tester ses limites. Ses *nouvelles* limites.

Zahir l'embrassa de nouveau tandis qu'elle ondulait sous lui. Sa main experte l'explorait là où aucun homme ne l'avait touchée depuis… Saffy refoula de toutes ses forces les souvenirs qui affluaient à sa mémoire. Elle était adulte, désormais, elle avait accepté ce qu'elle vivait, là, maintenant. Elle désirait le plaisir qui naissait sous les doigts de Zahir tandis qu'il caressait le bouton secret où palpitait son désir.

Des sensations fabuleuses se répandirent dans tout son corps en même temps qu'une chaleur inconnue se propageait dans ses seins. Et quand Zahir enfonça un doigt en elle, Saffy constata avec émerveillement qu'elle ne se fermait pas à cette intrusion intime, qu'elle ne le repoussait pas de toutes ses forces. Au contraire, elle en voulait plus, *beaucoup* plus. Cela ne faisait pas mal d'être touchée ainsi, cela ne lui provoquait aucun dégoût, aucun rejet. Aucune frayeur.

Un espoir insensé naquit dans son cœur tandis qu'une joie enivrante l'enveloppait tout entière. Elle allait y arriver, tout se passerait bien. Elle n'avait pas peur. Mieux encore, elle *aimait* ce que lui faisait Zahir. Maintenant, il avait posé sa bouche sur l'un de ses seins et aspirait, titillait délicieusement un mamelon gorgé de plaisir, tandis que ses doigts se livraient à des caresses de plus en plus audacieuses.

— Je te désire comme un fou, mais tu es si serrée…, murmura Zahir en redressant la tête.

Sans attendre de réponse, il se laissa glisser le long de son corps et Saffy sentit bientôt sa bouche affamée embrasser les plis les plus intimes de son corps.

Elle se sentit alors sombrer au fond d'un abîme. Incapable de maîtriser la marée qui se répandait en elle, vague après vague, elle se laissa aller aux sensations qu'il éveillait en elle. Avec ses doigts, sa bouche, sa langue, Zahir faisait naître une houle sauvage qui l'emportait dans un lieu inconnu. Et elle aimait ça ! Bientôt, tout son corps fut parcouru par un long tremblement et elle se mit à haleter sans la moindre retenue. Ses hanches se soulevèrent, ses reins se creusèrent, et soudain l'instant qu'elle redoutait le plus arriva : Zahir pressa son sexe contre l'orée de sa féminité.

Se crispant malgré elle, Saffy s'ordonna de ne pas se

pétrifier, de ne pas se fermer à lui. Et, tout à coup, elle se sentit envahie par la plus délicieuse sensation qu'elle ait jamais ressentie : le sexe de Zahir pénétrait en elle. Lentement, il s'enfonça en elle, tandis que son propre corps s'adaptait sans difficulté, presque naturellement, à cette intrusion étrangère. D'instinct, elle fit basculer son bassin pour mieux l'accueillir.

Une douleur aiguë la traversa alors, si vive que Saffy serra les dents pour ne pas crier. Puis la douleur disparut aussi vite qu'elle était venue et, gagnée par un sentiment de triomphe, Saffy enfouit son visage dans le cou de Zahir pour dissimuler son trouble.

Il n'était pas question qu'il sache qu'il était son premier amant. Il n'était pas... Le lent va-et-vient entamé par Zahir lui ôta toute pensée rationnelle. Elle repenserait à tout cela plus tard, pour l'heure, seules comptaient les sensations délicieuses qu'il faisait naître en elle.

Une excitation sauvage, d'une intensité folle, s'empara de Saffy. Le cœur battant sourdement dans sa poitrine, des halètements s'échappant de ses lèvres sans qu'elle puisse les retenir, elle s'abandonna aux vagues de plaisir qui déferlaient dans son corps.

Zahir glissa alors les mains sous ses cuisses et lui souleva les jambes pour les arrimer sur ses épaules. Puis il accéléra le rythme, son beau visage tendu à l'extrême, les yeux étincelants, semblable à un dieu conquérant. Ses coups de reins se faisaient de plus en plus puissants, il s'enfonçait de plus en plus profondément en elle, et Saffy se mit à pousser des gémissements qui augmentèrent encore sa propre excitation.

Jamais encore elle n'avait vécu quelque chose d'aussi bon, d'aussi nécessaire. Si Zahir s'était arrêté, elle avait l'impression qu'elle serait morte de frustration. Et quand il caressa de nouveau son clitoris, elle perdit pied en criant son prénom. Une lumière dorée explosa dans son cerveau, puis se répandit dans son corps qui se mit à trembler tout entier. Les vagues montèrent en crescendo, avant de déferler en elle, pour l'emporter loin, très loin, dans l'extase.

Au même instant, Zahir poussa une longue plainte et, après un dernier coup de reins, il se laissa retomber sur elle, avant de rouler sur le côté en la gardant dans ses bras.

Le souffle irrégulier, le cœur battant, il la serra contre lui.

— C'était extraordinaire, murmura-t-il.

A ces mots, Saffy redescendit brutalement sur terre. Oui, Zahir était devenu un amant extraordinaire. Combien de femmes avait-il connues pour acquérir cet art prodigieux de l'amour ? Il avait dû développer sa connaissance du corps féminin auprès de dizaines, voire de centaines de femmes différentes… La démonstration époustouflante qu'il venait de lui faire trahissait une pratique intense et assidue du sexe. Une pratique à laquelle il se livrait sans doute depuis des années. Depuis leur séparation en fait…

Envahie par une rage folle, Saffy eut envie de le repousser violemment, de quitter ce lit, de quitter ce pays ! Non, elle devait se calmer. Zahir était son ex-mari, pas un amant régulier, et elle ne ressentait ni jalousie, ni possessivité. Il ne représentait rien pour elle, alors pourquoi la pressait-il contre lui, pourquoi s'entêtait-il à l'embrasser dans le cou, presque avec tendresse, comme s'ils partageaient un lien spécial ?

Au fond, elle venait simplement de se servir de lui pour se débarrasser de sa virginité, et il s'était montré fabuleusement doué, mais c'était tout. Alors pourquoi se sentait-elle aussi mal, aussi en colère ?

Parce que Zahir ne ressemblait plus au jeune époux un peu maladroit dont elle avait gardé le souvenir ? Et alors ? Elle aussi avait changé ! Agacée par ses propres contradictions, Saffy repoussa son amant et descendit du lit.

— Ai-je droit à une voiture pour aller à l'aéroport, maintenant ? demanda-t-elle d'un ton mordant.

Zahir lui lança un regard noir et se redressa en se passant nerveusement la main dans les cheveux. Il ne supportait sans doute pas qu'elle ait quitté le lit sans sa permission, et bien tant pis pour lui. Il était d'une beauté somptueuse, c'était indéniable, mais à présent elle désirait s'éloigner de lui, le plus rapidement possible.

Il croyait sans doute l'avoir utilisée. Oh ! comme elle aurait aimé lui dire que c'était l'inverse qui s'était produit ! Impossible, elle n'avait pas l'intention de se confier à Zahir.

— Je veux que tu restes jusqu'à demain, dit-il d'une voix rauque.

— Non, je n'ai plus rien à faire ici. Je souhaite m'en aller, tout de suite.

Visiblement peu habitué à essuyer un refus de la part d'une femme, il la contempla avec un léger dédain.

— Je ne me livre pas à de simples passades, dit-il.

— Moi, si, riposta-t-elle avec impatience. Et comme je viens de te le dire : je n'ai plus rien à faire ici.

Bien déterminée à ne pas croiser le regard de son ex-époux, Saffy se concentra sur les vêtements posés avec soin sur un gros pouf en cuir. Comment avaient-ils pu arriver là ? Où avaient-ils été lavés et repassés, et par qui ?

Qu'importait après tout ? Sans un regard en arrière, elle les saisit et se dirigea vers la salle de bains.

Mais Zahir bondit hors du lit et arriva à la porte avant elle.

— Qu'y a-t-il ? demanda-t-elle sans le regarder.

— Le préservatif que j'ai utilisé s'est déchiré… Je suppose que j'étais trop… ardent. Tu prends la pilule, n'est-ce pas ? Il n'y a aucun risque de conception non désirée ?

Vu son ton, il ne doutait pas un instant qu'une femme *comme elle* ne prenne pas ses précautions…

La gorge serrée, Saffy ferma les yeux. Non, impossible, le sort ne pouvait se révéler aussi cruel !

— Bien sûr, mentit-elle.

Il fallait à tout prix que Zahir continue à croire qu'elle couchait avec d'autres hommes. Et comme Zahir était maladivement possessif, cette certitude l'irriterait profondément, et il renoncerait à la retenir ici. Du moins avait-il été possessif *autrefois*, du temps de leur mariage. Après cinq ans de séparation et la fréquentation de nombreuses maîtresses, sans oublier son accession au trône, il avait dû changer. Elle aurait été bien naïve de croire le contraire.

— Je vais organiser ton transport, dit-il d'une voix sombre. Et m'assurer que le matériel confisqué soit réexpédié à tes collègues.

— C'est ma récompense ? lança-t-elle d'un ton moqueur.

Mais en réalité elle était soulagée, car l'équipe et le client devaient être fous d'inquiétude…

— Si tu préfères voir les choses de cette façon, libre à toi, répliqua-t-il sèchement.

— En effet, libre à moi.

La colère flamba dans les yeux de Zahir, n'altérant en rien leur beauté. Il lui ouvrit la porte de la salle de bains d'un geste exagérément poli.

— Au fait, j'y pense, reprit-elle d'un ton faussement désinvolte, je te conseille de faire une enquête approfondie à propos de la disparition de ces cinq millions de livres, parce que je te le répète : je n'ai rien reçu !

Zahir inclina la tête avec arrogance.

— Tu peux compter sur moi, je ferai le nécessaire, affirma-t-il d'un ton froid et distant.

Puis, sans ajouter un mot, il se détourna et quitta la pièce.

Etait-il offensé qu'elle ne veuille pas renouveler leurs ébats passionnés ? se demanda Saffy en ouvrant à fond le robinet de la douche. Elle se frotta énergiquement tout le corps, pour ôter la moindre trace de Zahir. Elle orienta le jet brûlant sur ses membres courbatus.

Elle l'avait fait ! Elle n'était plus vierge. Elle était enfin une jeune femme normale. Une femme qui pouvait envisager de vivre une relation satisfaisante avec un homme…

Elle achevait de se sécher lorsque quelqu'un frappa à la porte de la chambre. Sans attendre sa réponse, Zahir réapparut, vêtu d'un simple caleçon.

— Oui ? demanda Saffy de son ton le plus détaché.

Comme elle aurait préféré ne pas le revoir ! Se retrouver face à lui, c'était si douloureux. Elle avait beau se persuader qu'elle n'avait aucun droit de réagir ainsi, la pensée qu'il ait connu le plaisir dans les bras d'autres femmes, alors que durant leur mariage elle avait été incapable de coucher avec lui, lui faisait horreur.

— Je dois t'avoir blessée, dit-il d'une voix sombre. Il y a des taches de sang sur le drap. Pourquoi n'as-tu rien dit ? Je me serais arrêté et j'aurais été plus doux.

Mortifiée, Saffy se sentit devenir écarlate. A vrai dire, emportée dans la passion et la volupté, elle avait complètement oublié qu'on pouvait saigner un peu en perdant sa virginité…

— Non, tu ne m'as pas blessée… Je… Cela faisait un moment que je n'avais pas eu de rapports sexuels, ce doit être pour ça, murmura-t-elle avec embarras.

— Pourquoi cette période d'abstinence ? demanda-t-il sans ménagement. Tu vis avec un homme, non ?

— Cela me regarde.

— Tu devrais voir un médecin. Je peux appeler…

— Non, merci.

Elle redressa les épaules avant d'ajouter :

— Tu veux bien t'en aller, à présent ? J'aimerais m'habiller.

— Sapphire…, commença-t-il en plissant le front.

Pourquoi te comportes-tu ainsi ? Est-ce dans tes habitudes ?
Te livres-tu souvent à des aventures sans lendemain ?

Incapable d'affronter son regard, Saffy pinça farouchement les lèvres.

— Ne compte pas sur moi pour te faire des confi-
dences intimes, Zahir.

5.

Confortablement installée dans le luxueux jet privé de Zahir, Saffy s'appuya la nuque au repose-tête sans toutefois parvenir à se détendre. Pourtant, Zahir s'était occupé de tout et avait veillé à ce que son retour s'effectue dans les meilleures conditions possibles.

Elle repensa à ce qui s'était passé à Maraban. Finalement, elle n'avait fait que coucher avec son ex. Elle n'était pas la première ni la dernière. En fait, si elle était aussi troublée, c'était juste parce qu'elle avait enfin perdu sa virginité. Alors que, jusqu'à présent, elle avait craint de ne jamais pouvoir s'abandonner dans les bras d'un homme.

Un petit soupir lui échappa. Elle avait *utilisé* Zahir. C'était la façon dont elle songerait dorénavant à leur étreinte. Et si, de son côté, il fulminait de ne pas avoir été seul maître de la situation et d'avoir dû la laisser partir, c'était son problème.

Cinq ans plus tôt, ils s'étaient envolés à Maraban tout de suite après leur mariage parce que Zahir l'avait décidé. Point. Elle n'avait pas eu son mot à dire, ni même imaginé les graves dysfonctionnements de la famille royale. Lorsque le père de Zahir, le roi Fareed, avait appris que son fils avait épousé une étrangère, il avait réagi avec une violence inouïe, avait-elle appris plus tard, et refusé de la voir. En revanche, elle avait fait la connaissance du frère aîné de Zahir, Omar, et d'Azel, sa femme. Hélas, ce dernier avait trouvé la mort dans un tragique accident de voiture, quelques semaines après l'arrivée de Saffy à Maraban.

Lui et sa femme n'ayant pas d'enfants, Zahir s'était retrouvé prince héritier. A partir de ce jour, elle l'avait vu de moins en moins souvent. Il remplaçait son frère décédé dans ses fonctions officielles et était souvent amené à voyager.

Enfermée dans l'immense palais situé un peu en dehors de la capitale, elle s'était vue condamnée à une existence recluse et à un ennui effroyable. Son beau-père, déterminé à tenir cette mésalliance secrète, lui avait interdit de sortir du palais. Pas une seule fois elle n'avait pu explorer la capitale ou les environs et, excepté quelques rares virées de shopping effectuées en compagnie de sa belle-sœur, Saffy avait à peine mis les pieds dehors.

Zahir lui répétait alors qu'elle devait s'armer de patience, que son père finirait bien par l'accepter dans la famille royale… Hélas, après douze mois passés à vivre comme un fantôme, elle avait compris que leur mariage représentait une erreur colossale. Si leur couple avait été fort dans cette épreuve, elle aurait peut-être trouvé le moyen de tenir encore un peu, mais elle voyait leurs relations se dégrader davantage chaque jour.

— Tu es très malheureuse ici, lui avait dit Zahir, lors de leur dernière entrevue. Et comme cela fait six mois que tu me parles de divorce, eh bien, j'accepte.

— Tu acceptes de divorcer comme ça, tout à coup ? avait-elle répliqué, bouleversée. Pourtant, tu jurais que tu m'aimais encore, que tout allait s'arranger…

— J'ai changé d'avis, avait-il coupé d'un ton brutal. A présent, je désire que tu rentres à Londres dès que tout sera réglé. Je veux divorcer et te rendre ta liberté.

A ce moment-là, Saffy avait senti sa vie lui échapper. Oui, après six mois de disputes incessantes et de plus en plus violentes, elle s'était mise à parler de divorce. Mais c'était pour le faire régir ! Jamais elle n'avait songé sérieusement à en venir à cette extrémité. Elle voulait qu'il comprenne à quel point elle était malheureuse. Mais jamais, non jamais, elle n'avait pensé qu'il pourrait la prendre au mot et accepter de divorcer.

Aussi, ce brusque revirement et l'impression qu'il cherchait à se débarrasser d'elle, le plus vite possible, lui avaient-ils brisé le cœur. En dépit de leurs difficultés, elle s'était jusque-là raccrochée à la certitude que son mari l'aimait encore, et que leur union valait la peine qu'on se batte pour la sauver. Privée de cette consolation et cruellement blessée par leur divorce, elle était partie de Maraban, le cœur brisé, et en proie à un sentiment d'abandon horrible.

Sa sœur aînée, Kat, qui l'avait élevée depuis l'âge de douze ans, avait tenté de la réconforter. Comme toujours, Kat était la voix de la raison : elle lui avait fait remarquer que l'opposition du roi Fareed avait dû décourager Zahir, et qu'ils n'avaient pas pris le temps avant leur mariage de la préparer à un changement de culture si radicale.

Mais aucun de ces arguments ne parvenait jusqu'à son cœur blessé. Le manque de Zahir était trop fort, trop douloureux… Il lui avait fallu beaucoup de temps pour savourer le goût de sa liberté retrouvée, et cesser de penser à lui à chaque instant. Elle l'avait tant aimé ! Mais lui, il semblait s'être séparé d'elle sans difficulté. Peut-être ne l'avait-il jamais aimée, songea-t-elle en revenant au présent. Pour lui, elle n'avait peut-être jamais été qu'une maîtresse, et non une épouse. N'était-ce pas ce que son comportement récent laissait supposer ?

La gorge nouée, Saffy repensa au préservatif déchiré. Elle risquait de se voir bientôt confrontée à des problèmes bien plus importants que les états d'âme de son ex-mari… Incapable de toucher aux mets appétissants que le steward venait de disposer devant elle, elle sentit un frisson glacé la parcourir. A une époque, elle avait pensé que son incapacité à vivre sa sexualité lui interdirait de devenir mère. Mais maintenant qu'elle avait vaincu ses inhibitions, un avenir nouveau s'ouvrait à elle.

Si elle était enceinte, comment réagirait-elle ? Dans une situation analogue, certaines de ses amies se précipiteraient sur la pilule du lendemain. Mais elle s'en sentait incapable. Si une nouvelle vie germait en elle, elle ne pourrait se résoudre à la supprimer. A cette pensée, une joie immense l'envahit. Avoir un bébé… De Zahir… Cette perspective était merveilleuse, incroyable !

Bien sûr, ce serait sans doute une catastrophe par rapport à ses engagements professionnels, mais seulement durant une courte période. Sa carrière étant bien lancée, elle pourrait sans problème l'interrompre pendant quelques mois.

A la fois excitée et effrayée par le risque qu'elle s'apprêtait à prendre, Saffy se força à respirer calmement. Si elle était enceinte, elle vivrait sa grossesse et l'assumerait sans regret. Voilà tout.

A l'aéroport, elle prit un taxi qui la conduisit à l'appartement qu'elle partageait avec Cameron. Cuisinier hors pair, son ami était occupé à couper des légumes en petits dés… mais il avait de la compagnie. Assise sur le plan de travail, sa petite sœur, Topsy, bavardait avec lui en le regardant faire.

— Saffy ! s'écria Topsy dès qu'elle franchit le seuil.

Sautant à bas de son perchoir, elle se jeta dans ses bras et Saffy serra machinalement sa sœur contre elle.

— J'ai regretté que tu ne sois pas là cette semaine, poursuivit Topsy en s'écartant. J'aurais aimé qu'on aille fêter la fin de mes exams ensemble !

Saffy regarda sa sœur affectueusement. A dix-huit ans, elle venait de terminer ses études secondaires et, ayant beaucoup moins souffert de leur enfance bancale, elle avait une personnalité plus ouverte que ses sœurs. Par ailleurs, elle était brillante et débordait d'une merveilleuse joie de vivre. Alors pourquoi ces ombres sombres sous ses yeux, cette tension inhabituelle sous son ton enjoué ?

— Comment as-tu su que je rentrais aujourd'hui ?

— Topsy a appelé tous les jours…, répondit Cameron à sa place.

Grand et terriblement séduisant, il interrompit un instant ses préparatifs et sourit à Saffy.

— Je lui ai envoyé un SMS après avoir reçu ton appel de l'aéroport, poursuivit-il.

— Tu n'es pas restée chez Kat, avec Emmie ? demanda Saffy.

— Non. Kat et Mikhail avaient organisé un grand dîner, ce soir, et je n'étais pas d'humeur à affronter des tas d'inconnus. Et, de toute façon, Emmie doit être déjà partie, maintenant.

A ces mots, Saffy sentit son cœur se serrer. Ainsi, sa jumelle avait préféré rentrer à Birkside, pour ne pas prendre le risque de la croiser… Emmie l'évitait, comme d'habitude. En serait-il toujours ainsi ? Sa faute était-elle trop grave pour qu'elle ait jamais droit au pardon ?

— Tu veux dire qu'Emmie est rentrée directement à Birkside ? s'enquit-elle.

Située dans la pittoresque région des lacs, au nord-ouest de l'Angleterre, Birkside était la maison dont Kat avait hérité après la mort de son père. Odette, leur mère à toutes, avait eu Kat de son premier mariage, les jumelles du second, tandis que Topsy était le fruit d'une brève liaison avec un joueur de polo sud-américain.

Alors que Saffy et Emmie avaient douze ans, Odette avait décrété un beau jour que ses filles étaient trop difficiles à élever et les avait placées dans une famille d'accueil. Emue par leur détresse, et elle-même âgée de vingt-trois ans, Kat les avait accueillies à Birkside. Ensuite, elles n'avaient quasiment jamais revu Odette. C'était sa fille aînée qui était devenue la mère affectionnée et attentionnée qu'elles n'avaient jamais eue.

— Est-ce que c'est bien raisonnable qu'Emmie soit là-bas toute seule ? demanda Saffy avec inquiétude. La maison est isolée…

— Tu parles ! s'exclama Topsy en roulant des yeux d'un air comique. Emmie se débrouille très bien, tu la connais, et puis elle a des amis à proximité, et son job.

— Le dîner sera prêt dans dix minutes ! annonça Cameron.

— Alors, j'ai le temps d'aller me changer, répliqua Saffy en souriant.

— Oui, allons dans ta chambre, approuva aussitôt Topsy.

Sans lui laisser le temps de protester, elle la saisit par le bras et l'entraîna vers la porte de la cuisine.

— Que se passe-t-il ? demanda Saffy lorsqu'elles furent dans la chambre. Tu n'es pas comme d'habitude…

Toute gaieté disparut du visage de sa sœur qui se laissa tomber sur le lit et baissa les yeux.

— J'ai découvert une chose à laquelle je ne m'attendais pas du tout, et je n'ai pas voulu embêter Kat avec ça, reconnut-elle.

Saffy s'assit dans le fauteuil, à côté du lit.

— Raconte-moi, dit-elle doucement.

— Tu vas sans doute trouver que c'est stupide…, commença Topsy en relevant la tête.

— Si cela te perturbe, ce n'est pas stupide.

— Je ne sais même pas si je suis perturbée. En fait, je ne sais pas vraiment ce que je ressens…

— Ce que tu ressens à propos de quoi ?

— Il y a quelques semaines, mon père, Paulo, m'a demandé si je voulais bien faire effectuer un test ADN. Comme j'ai dix-huit ans, nous n'avions pas besoin de l'autorisation de Kat. Apparemment, il avait toujours eu des doutes sur sa paternité et comme depuis qu'ils sont mariés lui et sa femme n'arrivent pas à avoir d'enfants…

— Ton père s'est marié ? Je l'ignorais… Tu ne nous l'avais jamais dit !

— Cela ne me paraissait pas important, soupira Topsy. Tu comprends, j'ai dû le voir cinq ou six fois en tout dans ma vie. Et vu qu'il vit au Brésil, nous n'avons jamais eu l'opportunité de nous connaître vraiment… En tout cas, comme ils désirent avoir des enfants, lui et sa femme ont fait faire des examens. Et ils ont appris que le problème était du côté de Paulo : il est stérile.

— D'où la demande de test ADN.

— Et maintenant, il a la preuve que je ne peux pas être sa fille ! ajouta Topsy avec un sourire tremblant. Alors, je suis allée voir maman…

— Non ?

— A qui d'autre voulais-tu que je pose des questions sur l'identité de mon géniteur ? riposta Topsy. D'abord, elle a juré que j'étais la fille de Paulo, même quand je lui ai fait part des résultats des examens et du test…

— Evidemment, après tant d'années, elle devait être furieuse que tu abordes ce sujet, commenta Saffy.

Odette ne changerait jamais, songea-t-elle avec un mélange d'irritation et de tristesse. Elle aurait pu s'y prendre différemment avec la plus jeune de ses filles…

— Comme tu dis ! approuva Topsy avec véhémence. A la fin, elle a conclu en disant que si Paulo n'était pas mon père, elle ne savait pas qui c'était.

— A certains moments de sa vie…, commença Saffy avec précaution, elle couchait à droite et à gauche. Je suis désolée, Topsy. Ça n'a pas dû être facile pour toi d'apprendre tout cela. Comment a réagi Paulo ?

— Comme je te l'ai dit tout à l'heure, il avait toujours eu des doutes. Alors, il n'a pas été très surpris. En fait, j'aurais dû me douter moi-même que je n'étais pas sa fille. On ne peut pas vraiment dire qu'on se ressemble : il mesure au moins un mètre quatre-vingt-dix et il a une de ces carrures !

Après s'être interrompue un instant en se mordillant la lèvre, elle poursuivit :

— Je ne saurai probablement jamais qui est mon père, mais, au fond, qu'est-ce que cela peut faire ? Regarde, toi et Emmie vous avez un père qui vit ici, à Londres, mais vous ne le voyez jamais ! Il ne s'intéresse pas du tout à vous.

— C'est différent, protesta Saffy. Son divorce avec maman a été très compliqué et difficile. Elle l'a plaqué quand il s'est retrouvé sans un sou. Et lorsqu'il s'est relevé de ses ennuis, il s'est remarié et a eu d'autres enfants. C'est à ce moment-là qu'il s'est désintéressé de nous.

— Tu en souffres ?

— Non, pas du tout. Comment veux-tu que je souffre du manque de quelque chose que je n'ai jamais connu ? mentit Saffy.

Bien sûr que le rejet de son père lui faisait encore mal ! Tout comme Odette, il les avait laissées tomber, Emmie et elle, au moment où elles avaient eu le plus besoin de lui. Jamais elle n'oublierait ses dernières paroles : « Tu es mauvaise, comme ta mère. Regarde ce que tu as fait à ta sœur ! » En dépit des années, elle voyait encore le dégoût et la condamnation qui avaient empli le regard de son père.

— Désolée de t'embêter avec mes problèmes, murmura Topsy d'un air coupable.

A cet instant, Cameron les appela depuis le couloir, mais avant d'aller le rejoindre Saffy prit sa sœur dans ses bras et la serra contre elle pour la réconforter.

Grâce à la compagnie charmante et affectueuse de Cameron, le dîner — succulent comme toujours — se passa dans la gaieté et la convivialité. Mais lorsque Topsy les eut quittés pour retourner chez Kat et Mikhail où elle devait passer la nuit, Cameron se tourna vers Saffy d'un air inquiet.

— Qu'est-ce qui t'a retenue à Maraban — ou peut-être devrais-je plutôt demander *qui* t'a retenue là-bas ?

Il aurait été vain et stupide de mentir à Cameron. Non seulement il était intelligent et perspicace, mais en plus il la connaissait trop bien pour se laisser prendre.

— Je préférerais ne pas en parler maintenant, murmura-t-elle.

— Tu as tort, Saffy. Contrairement à ce que tu crois, cela te ferait beaucoup de bien.

— Je sais… Mais tu me connais : j'ai toujours du mal à parler de choses personnelles. J'ai passé trop d'années à garder des secrets douloureux.

Son ami n'insista pas et après lui avoir dit que, si elle changeait d'avis, il serait disposé à l'écouter, il lui souhaita bonne nuit.

Soulagée, Saffy le regarda franchir la porte avant de regagner sa chambre. Mais, en dépit de son immense fatigue, elle resta allongée de longues heures dans son lit sans parvenir à trouver le sommeil. Les yeux grands ouverts dans l'obscurité, elle lutta de toutes ses forces pour éloigner les images de Zahir qui se bousculaient dans son esprit. Oui, elle oublierait cette brève aventure dans le désert, elle s'en faisait le serment. Et Zahir retournerait à sa place : dans le passé.

Dix jours plus tard, Saffy fut réveillée par une sensation douloureuse dans la poitrine alors qu'elle était allongée sur le ventre. Apparemment, ses seins étaient trop sensibles pour supporter cette position. Le moment était-il venu d'effectuer le test de grossesse acheté la veille ? se demanda-t-elle en changeant de position. Pouvait-elle être tombée enceinte au cours de cette seule étreinte ?

A la pensée de porter un enfant — l'enfant de Zahir —, une telle marée d'émotions la submergea qu'elle se leva d'un bond et se mit à faire sa gymnastique quotidienne avec acharnement. Hors de question qu'elle se laisse déstabiliser par des visions de bébé aux yeux ambrés bordés d'épais cils noirs !

Mais comme ces images continuaient à défiler dans son esprit, elle prit les grands moyens et sortit courir dans le parc voisin.

Après une longue course, elle rentra à l'appartement, trempée de sueur et les jambes tremblantes de fatigue, et décida de s'offrir une douche réparatrice. Au moment où elle allait se sécher les cheveux, la sonnette de la porte d'entrée retentit.

Après avoir enfilé son peignoir, elle sortit de la salle de bains et, pieds nus, se dirigea vers la porte. Mais quand elle regarda par le judas, elle ressentit un tel choc qu'elle recula d'un pas.

Zahir… à Londres… Et que venait-il faire chez elle ? se demanda-t-elle, le cœur battant. Que voulait-il ?

Les mâchoires crispées, Saffy entrouvrit la porte.

— Qu'est-ce que tu veux ? demanda-t-elle d'un ton brusque.

6.

— Laisse-moi entrer, ordonna Zahir.

Saffy tressaillit : deux agents de sécurité encadraient la porte de l'ascenseur.

— Non.

— Ne fais pas l'enfant, dit-il d'un ton sévère. Nous devons parler affaires.

— Pardon ?

Bon sang, qu'est-ce qui lui avait pris d'ouvrir la porte en tenue si négligée ? Nue sous son peignoir, les cheveux mouillés, sans maquillage, elle se sentait affreusement vulnérable.

— J'ai fait effectuer une enquête, à propos des sommes versées à ton intention, expliqua-t-il avec impatience.

— Ah, cette histoire d'argent…

Saffy recula avec réticence pour le laisser entrer. Bien sûr, elle savait que c'était une erreur : si Zahir pénétrait dans son espace privé, les souvenirs de ces instants, de sa présence, chez elle, viendraient s'ajouter à ceux qui la hantaient déjà.

— Oui, approuva-t-il en hochant la tête.

Des images de leurs deux corps mêlés surgirent dans l'esprit de Saffy tandis qu'une chaleur malvenue se répandait dans son corps. Zahir portait un costume gris anthracite dont la coupe sobre et raffinée mettait en valeur sa carrure impressionnante et ses longues jambes musclées. Par ailleurs, il s'était fait couper les cheveux depuis leur dernière rencontre, et comme d'habitude une barbe de deux jours entretenue avec soin lui donnait un air sombre et ténébreux — terriblement sexy.

Saffy referma la porte derrière lui et se dirigea vers le salon.

Zahir contempla l'ondulation fluide des hanches de Sapphire sous la soie colorée tandis qu'elle marchait devant lui. Elle sortait sans doute de la douche et, sous la fine étoffe, son corps ravissant était nu... Le désir s'empara de lui avec une telle intensité qu'il serra les dents et redressa les épaules pour contrôler les réactions de son propre corps.

Cette fois, il savait ce qu'il faisait. Il *maîtrisait* la situation. Il avait peut-être fait une entorse à son sens de l'honneur, mais il avait pris une décision acceptable. Et puis, personne n'était parfait. Désormais, il avait mûri, et l'imperfection était devenue moins condamnable à ses yeux.

Arrivée dans le salon, Saffy se retourna et soutint le regard de Zahir. Malgré elle, son regard fut attiré par sa bouche sensuelle. Une bouche qui... A ces souvenirs, le feu qui couvait au plus intime de son corps se propagea dans chacune de ses cellules.

— Tu veux parler de ces cinq millions, c'est cela ? demanda-t-elle d'un ton neutre.

— Il y a cinq ans, mon avocat londonien, en accord avec le tien, a ouvert un compte à ton intention. A l'époque, personne ne soupçonnait que ton avocat commençait une démence sénile et, malheureusement, il n'a pas fait son travail correctement, expliqua Zahir. Tu n'as pas été informée de l'ouverture de ce compte ni des versements que j'y ai fait chaque mois depuis notre divorce. Et quand ton avocat a été obligé de prendre sa retraite et que son fils a repris l'étude, ce dernier a compris que tu ignorais tout de ces dispositions et a *omis* de te mettre au courant.

— Tu veux dire qu'il l'a fait délibérément?

— Oui. Il a détourné les fonds à son profit, tout simplement. J'ai remis l'affaire entre les mains des autorités concernées. Et je te dois des excuses pour t'avoir accusée injustement.

— En effet, acquiesça-t-elle en relevant le menton avec défi.

— En dépit de tout ce qui s'était passé entre nous, je désirais que tu puisses disposer de cet argent, au cas où tu rencontrerais des difficultés financières. Tu aurais pu ne pas réussir dans la carrière que tu avais choisie.

Saffy le regarda, incrédule.

— Non, je n'y aurais pas touché. Même si j'avais été au courant de l'existence de ce compte, j'aurais refusé de m'en servir. Nous avons été mariés si peu de temps... Tu ne me devais rien.

— Je ne partage pas ton avis.

— Effectivement, nos points de vue sont différents, comme souvent, répliqua-t-elle avec calme. Mais puisque j'ignorais tout de l'existence de ce compte, de toute façon, le problème ne s'est pas posé. En tout cas, je suis soulagée que tu aies éclairci ce mystère.

Elle se dirigea vers la porte du salon.

— Et maintenant, si c'est tout ce que tu avais à me dire...

— Non, ce n'est pas tout, l'interrompit-il. Je voudrais te parler d'autre chose.

— Si cela a un rapport avec ce qui s'est passé entre nous, je ne veux pas en parler, dit Saffy en se retournant vers lui.

La lueur dorée vibra dans les yeux sombres de son ex-époux.

— Eh bien tant pis : maintenant que je suis ici, tu vas m'écouter.

— Zahir, tu peux peut-être te permettre ce genre d'attitude à Maraban, mais pas chez moi !

— Mon *attitude* ne t'a pas toujours déplu, il me semble, répliqua-t-il en la défiant du regard.

Saffy se sentit rougir jusqu'à la pointe des cheveux.

— Je n'ai pas l'intention de t'écouter plus longtemps, Zahir, et je désire que tu t'en ailles : si tu veux bien me suivre…

Au lieu de lui obéir, il se rapprocha d'elle, les yeux étincelants.

— Non, ce n'est pas ce que tu désires. Tu te conduis de façon stupide et bornée — et tu refuses de regarder la vérité en face ! Dans le désert, tu es venue vers moi de ton plein gré…

— Je t'ai dit que je ne voulais pas en parler !

D'un geste brusque, Zahir poussa la porte du salon qui se referma avec un bruit mat.

— J'ai une proposition à te faire…

— Non ! s'écria-t-elle en se bouchant les oreilles. Je ne t'écoute plus !

Il lui écarta les mains de force et la tint fermement par les poignets.

— Je t'ai acheté un appartement, ici, à Londres. Tu vas y emménager et je viendrai te rendre visite chaque fois que je le pourrai…

Le choc fut si brutal que Saffy eut l'impression qu'elle ne pourrait plus jamais respirer.

— Un appartement ? murmura-t-elle, interloquée. Tu es devenu fou ?

— Non, je suis parfaitement lucide, répondit Zahir d'une voix sombre. Je désire que tu quittes ton amant et que tu deviennes ma maîtresse. Je me fiche de McDonald : il est hors de question que tu continues à vivre avec lui. Je ne viendrai te voir que si tu es à moi seul !

Saffy ferma brièvement les yeux. Cette fois, il dépassait vraiment les bornes !

— Tu es fou, répéta-t-elle. Il y a cinq ans, tu as voulu divorcer et tu m'as rejetée sans te préoccuper de ce que je ressentais ! Et, maintenant, tu voudrais que je devienne ta maîtresse ?

— Je ne vois pas l'utilité de s'appesantir sur ce qui s'est passé il y a cinq ans.

— Peut-être, mais comment peux-tu croire que la relation que tu me proposes me conviendrait ?

— J'ai cette audace parce que je te désire avec une intensité qui frôle la folie, répondit-il d'une voix rauque. Oui, tu me rends fou, mais je ne te partagerai pas avec d'autres hommes.

Elle haussa les sourcils d'un air qu'elle espérait narquois.

— J'ai dû être *extraordinaire*, l'autre jour…

— Tais-toi, ordonna-t-il en effleurant ses lèvres entrouvertes du bout du doigt. Ne rabaisse pas ce qu'il y a entre nous. Il n'y a pas de mal à nous autoriser à partager du plaisir. Nous serons discrets. Et je viendrai te voir chaque fois que je pourrai m'évader de mes responsabilités.

Ebahie, Saffy le dévisagea. Zahir désirait qu'elle s'installe dans un appartement choisi par lui, pour l'y attendre, en marge de sa vie officielle… Elle deviendrait le petit secret honteux du roi de Maraban…

Pas question. Elle était bien trop fière et trop indépendante pour envisager un seul instant d'accepter une telle liaison. Evidemment, Zahir la prenait encore pour la jeune fille follement éprise qu'elle avait été. Celle qui s'était accrochée à leur mariage de toutes ses forces. A l'époque, son unique ambition avait été d'épouser l'homme qu'elle aimait et chérissait plus que tout au monde. Mais, à présent, elle ne se laisserait plus insulter.

— Cette fois, il est vraiment temps que tu t'en ailles, dit-elle d'un ton brusque. Tu as dit tout ce que tu avais à dire, et ma réponse est non ! Ma vie me plaît telle qu'elle est et je ne compte pas en changer.

— Regarde-moi dans les yeux et dis-moi que tu ne me désires pas, ordonna Zahir d'une voix sourde.

A contrecœur, Saffy plongea son regard dans le sien. Aussitôt, elle se sentit aspirée dans les profondeurs ambrées de son regard. Un courant chaud se propagea en elle, de plus en plus puissant, balayant toute logique sur son passage.

Mais même perdue au milieu de ce flot irrésistible, elle savait une chose : elle ne s'abaisserait jamais à devenir la maîtresse de son ex-mari. Elle le désirait, oui, mais elle n'accepterait pas sa proposition. Jamais. Le prix était trop élevé.

— Je ne te désire pas suffisamment pour…

— Menteuse, coupa-t-il en fixant sa bouche avec gourmandise.

Saffy secoua la tête.

— Tu ne peux pas me forcer à prononcer les paroles que tu attends…

— Je ne te force pas. Je ne t'ai jamais forcée.

— Reconnais au moins que tu te conduis de façon plutôt… dominatrice.

— Oui, mais tu aimes cela.

— Je préfère les hommes civilisés, riposta Saffy avec dédain.

— Cela ne t'empêche pas de me désirer, affirma-t-il avec arrogance.

— Tu ne m'as pas laissée terminer ma phrase, tout à l'heure, dit-elle en soutenant son regard. Je voulais te dire que je ne te désire pas suffisamment pour devenir ta putain privée.

— Prouve-le, rétorqua-t-il aussitôt.

Ainsi, il ne se donnait même pas la peine de contester les termes qu'elle venait d'employer. Saffy voulut le repousser, mais il prit son visage entre ses mains, et la poussa contre le mur.

Tremblante, le cœur battant, elle se sentait perdue, mais elle ne détourna pas les yeux.

— Je t'interdis de m'embrasser, murmura-t-elle.

Avec un sourire de triomphe, Zahir ignora ses paroles et pencha la tête pour lui déposer un baiser brûlant dans le cou. Puis il fit remonter sa bouche sur sa peau en la léchant avec une telle application que Saffy sentit de délicieux frissons se répandre dans ses seins.

Le désir de refermer les mains sur sa nuque, de s'abandonner à ce baiser, fut si intense qu'elle serra les poings pour s'en empêcher.

— Comment peux-tu me faire une pareille proposition ?

Zahir redressa la tête et la regarda un instant avant d'approcher son visage du sien.

— Qui ne risque rien n'a rien, chuchota-t-il contre ses lèvres.

— A quoi joues-tu, Zahir ? murmura Saffy en sentant une chaleur insidieuse se propager en elle.

— Oh ! crois-moi, je ne joue pas, répondit-il d'une voix rauque.

Puis il prit sa bouche avec passion et glissa sa langue entre ses lèvres. L'assaut fut si violent, si absolu que Saffy eut l'impression de fondre instantanément, de se perdre dans sa chaleur. Zahir pressa son corps contre le sien, la retenant prisonnière entre lui et le mur tandis qu'elle sentait l'urgence de son désir contre son ventre.

— Je te désire. Depuis que tu as quitté Maraban, je te désire à chaque instant, à tel point que j'en ai perdu le sommeil…

Il ne s'agissait que de mots, qui ne signifiaient rien, et pourtant, quelque chose frémit en Saffy quand elle entendit Zahir admettre qu'elle exerçait autant de pouvoir sur lui.

D'une main impatiente, il écarta les pans de son peignoir, puis laissa glisser ses doigts vers son sexe. Aussitôt,

Saffy sentit tous ses sens s'embraser. Elle désirait qu'il la caresse, là, au plus intime de son corps. Maintenant.

Le désir la consumait. Elle brûlait. Et quand il la caressa enfin, Saffy sentit tout son corps palpiter et réclamer les doigts de Zahir. Les yeux fermés, elle laissa échapper un gémissement tandis qu'il glissait les doigts en elle, puis caressait le bouton secret de son désir. Le souffle court, elle écarta les jambes pour mieux s'offrir à lui et oublia tout sauf la volupté qui l'envahissait, vague après vague.

Le temps n'avait plus d'importance. Ni l'espace. L'univers se réduisait soudain à la jouissance qui naissait sous les caresses de Zahir.

Tout à coup ses doigts experts s'immobilisèrent, Saffy entendit un bruit de fermeture Eclair puis de papier déchiré. Redressant la tête, elle se laissa sombrer dans le regard incandescent de Zahir, posé sur elle. Le désir qu'elle ressentait était trop puissant pour y résister. Il la dominait tout entière. Il l'emportait dans un courant impétueux, contre lequel il aurait été inutile de lutter.

— Je ne peux pas te prendre dans le lit d'un autre homme, dit Zahir d'une voix rauque en la saisissant par les hanches.

D'instinct, Saffy enroula les jambes autour de sa taille et quand il reprit sa bouche avec passion, elle s'abandonna à leur baiser en refermant les mains derrière sa nuque. Il lui appuya le dos contre le mur et la souleva légèrement, jusqu'à ce qu'elle sente son sexe ferme et chaud s'enfoncer en elle.

Une ivresse merveilleuse l'envahit alors, et lorsque Zahir poussa une longue plainte rauque, le son de sa voix exacerba encore son plaisir.

— Tu es si serrée, murmura-t-il en se retirant légèrement. C'est si bon, je serais prêt à faire n'importe quoi pour revivre ces instants.

Puis il s'enfonça plus profondément en elle, lui arrachant un cri de plaisir.

— Ne t'arrête pas ! supplia-t-elle entre deux halètements.

Son excitation redoublait à chaque coup de reins, l'emportant de plus en plus haut dans la volupté.

— Je ne pourrais pas…, chuchota-t-il contre ses lèvres.

Lorsque la première vague de jouissance emporta Saffy, elle cria de nouveau. Et au moment où elle se sentit entraînée au sommet de l'extase, Zahir s'abandonna avec elle.

Doucement, lentement, il laissa glisser les jambes de Saffy contre lui jusqu'à ce que ses pieds touchent le sol. Elle vacilla et, s'il ne l'avait pas aussitôt reprise dans ses bras, elle se serait effondrée à ses pieds.

Quand elle eut pleinement recouvré son équilibre, il l'embrassa avec passion avant de redresser la tête, les yeux étincelants.

— Où est la salle de bains ?

Saffy lui indiqua la porte située au bout du couloir et s'appuya contre le mur pour reprendre ses esprits. Il venait de la prendre là, contre ce même mur, et leur étreinte avait été follement excitante, mais sa fierté protestait contre cette reddition — non, cette *soumission* — à Zahir.

Elle n'avait pas su résister au désir qui l'avait foudroyée.

Les mains tremblantes, Saffy resserra les pans de son peignoir avant de renouer la ceinture. Son corps vibrait encore et elle se sentait atrocement vulnérable.

— Ça va ? demanda Zahir en sortant de la salle de bains.

— Non, pas vraiment, répondit-elle avec franchise.

— Tu es très pâle : tu devrais peut-être t'asseoir ?

Saffy se laissa tomber sur le sofa, puis posa les coudes sur ses genoux et se prit le visage entre les mains. La tête lui tournait, elle transpirait et avait terriblement mal au cœur.

— Quand aimerais-tu déménager ? demanda Zahir d'une voix douce en s'arrêtant devant elle. Donne-moi une date et je m'occuperai de tout. Il n'y aura ni stress ni…

— Déménager ? répéta-t-elle en redressant vivement la tête. Je n'ai pas l'intention de quitter cet appartement !

— Tu ne peux pas continuer à vivre avec McDonald.

D'une main tremblante, Saffy repoussa une mèche de cheveux de son visage.

— Ce qui vient de se passer était une mauvaise idée, Zahir. Reconnais-le.

— Non, tu te trompes.

Saffy se leva pour protester, mais tout se mit à tourner autour d'elle. Perdant l'équilibre, elle sentit une obscurité soudaine l'envahir, puis sombra dans le néant.

Zahir la rattrapa avant qu'elle ne s'effondre sur le sol et la souleva dans ses bras. Quand il l'eut allongée sur le sofa, elle reprit vite connaissance et cligna des yeux en le regardant, perdue.

— Que s'est-il passé ? demanda-t-elle d'une voix faible.

— Tu as eu un malaise en te levant, répondit-il en plissant le front. Je t'ai fait mal ? Tu es malade ?

— Non, mais je crois bien que je suis enceinte…

— *Enceinte ?* répéta Zahir en se redressant d'un mouvement vif.

Le visage fermé, il la contempla d'un regard sombre.

— De qui es-tu enceinte ?

— Bon…, fit alors la voix familière de Cameron depuis l'entrée. J'ai l'impression que j'aurais dû faire davantage de bruit pour signaler mon arrivée…

— Cameron ! s'exclama Saffy en voyant apparaître son ami dans l'encadrement de la porte.

Seigneur, qu'avait-il entendu, au juste ? Pourvu qu'il ne soit pas là depuis trop longtemps…

— J'ai eu un malaise, poursuivit-elle à la hâte, c'est tout.

— Il y a une première fois pour tout, répliqua Cameron avec calme.

— *Enceinte*, répéta Zahir d'une voix crispée en se tournant vers lui. De vous ?

— Ah non, vous ne pouvez m'imputer cette responsabilité, répondit Cameron avec un sourire ironique. Je ne suis pas de ce bord, voyez-vous.

Il sourit à Saffy avant d'ajouter :

— Tu devrais voir rapidement ton gynécologue, non ?

Sourcils froncés, Zahir les regarda tour à tour.

— Que voulez-vous dire ?

— Que je suis le meilleur ami de Saffy et que je suis gay. Et vous, vous êtes Zahir, je présume ? J'ai vu vos gardes du corps et la limousine garée devant l'immeuble, avec le petit drapeau.

— Vous êtes *gay* ? murmura Zahir avec incrédulité.

Il se tourna vers Saffy d'un air accusateur.

— Pourquoi ne me l'avais-tu pas dit ?

— Parce que cela ne te regardait pas.

— Et le bébé, de qui est-il ?

— Excusez-moi, je vais vous laisser, intervint Cameron avec délicatesse.

Puis il quitta la pièce avant de refermer la porte derrière lui.

Complètement remise maintenant, Saffy se leva et fit face à Zahir.

— Je ne suis même pas sûre d'être enceinte, soupira-t-elle. J'ai acheté un test mais je ne l'ai pas encore utilisé. Si ça se trouve, mes inquiétudes sont complètement infondées.

Le visage semblable à un masque, Zahir la regarda en silence.

— S'il est gay, pourquoi vis-tu avec lui ? demanda-t-il enfin, comme incapable de renoncer à son idée fixe.

— Parce qu'il est mon ami et que nous cherchions tous les deux à acheter un appartement en même temps. Et, comme nous nous entendons très bien, nous avons décidé d'acheter ensemble.

— Mais pourquoi laissez-vous croire que vous vivez en couple ? insista Zahir.

— Cameron a été élevé par ses grands-parents et il

leur est très attaché. Tous deux l'aiment profondément, mais ils sont très âgés et Cameron craint qu'ils ne puissent comprendre son homosexualité. Alors, il a décidé de ne faire son *coming-out* qu'après leur disparition.

— Si je comprends bien, il t'utilise comme couverture.

— Nous nous servons l'un de l'autre, répliqua-t-elle sans hésiter. Tant que Cameron est censé être mon compagnon, je suis moins harcelée par certains hommes trop entreprenants à mon goût. A présent, je préférerais que nous laissions mon ami en dehors de cette conversation.

Zahir serra les mâchoires.

— Enceinte…, répéta-t-il une fois de plus.

— Ce n'est pas sûr ! Ecoute, je vais aller faire ce fichu test maintenant, comme ça nous saurons ce qu'il en est *vraiment*.

— Si tu es bien enceinte, comment saurons-nous si l'enfant que tu portes est de moi ? demanda-t-il d'une voix glaciale.

— J'ai envie de te gifler, Zahir ! Dommage que je n'en aie pas l'énergie…

Quand elle voulut passer devant lui, il lui saisit le poignet.

— Te rends-tu compte de l'importance que cela représenterait pour moi, en tant que roi de Maraban ?

— Non. Et, pour l'instant, je refuse d'y penser, répondit-elle en se dégageant. Je veux seulement savoir si je suis enceinte ou non. Tu n'aurais pas dû venir, Zahir. Ce qui s'est passé entre nous à Maraban, c'était une aventure. En réapparaissant ainsi, tu me compliques la vie.

— Si tu es enceinte, je ne peux pas disparaître de ta vie.

Sans un mot, Saffy s'avança dans le couloir et alla s'enfermer dans la salle de bains. Les mains tremblantes, elle sortit le test de son emballage et lut la notice.

Quelques minutes plus tard, immobile à côté de la fenêtre, elle contemplait d'un œil absent l'agitation de la rue, attendant le résultat du test, le bâtonnet à la main. A vrai dire, elle était encore choquée par l'intensité de l'étreinte qu'elle venait de vivre avec Zahir. Jamais elle n'aurait songé pouvoir perdre le contrôle de son corps aussi totalement. Submergée par le désir, elle avait bafoué tous ses principes.

A cet instant, des coups vigoureux frappés contre la porte la firent sursauter.

Presque machinalement, elle baissa les yeux vers le bâtonnet du test et sentit son sang se figer dans ses veines. Impossible ! Elle vérifia l'heure à la petite pendule de la salle de bains avant de se replonger dans la notice. Chancelante, elle s'assit alors sur le bord de la baignoire.

Enceinte ! Le résultat du test était sans équivoque. L'espace d'une seconde, une joie immense l'envahit, mais quand elle se remémora l'expression dure et impitoyable du visage de Zahir elle sentit son cœur se serrer. Les choses risquaient de devenir *très* compliquées. Zahir aimait tout contrôler… Et puis, élevé dans une société où la naissance d'enfants illégitimes était totalement inacceptable, il risquait de réagir de façon excessive.

Pourquoi avait-il fallu qu'elle lui en parle ? Quelle idiote ! Voilà qu'elle allait devoir lui annoncer qu'elle était bien enceinte. Comme elle aurait préféré, pour tous les deux, qu'il ne soit pas impliqué dans sa grossesse, ni dans la vie future de son enfant.

Elle prit une profonde inspiration et sortit de la salle de bains. Debout à côté du sofa, Zahir buvait du café en regardant par la fenêtre. Comme toujours, Cameron s'était conduit en hôte parfait en son absence.

Durant quelques instants, elle regarda son ex-mari en silence. Il n'avait jamais aimé la ville, se rappela-t-elle. Zahir avait besoin des grands espaces pour être heureux.

Comme s'il avait senti sa présence, il se retourna et soutint son regard sans un mot.

* * *

Dans le silence pesant qui s'était installé dans le salon, Zahir comprit tout à coup qu'elle le rejetait. Sapphire ne voulait pas de lui dans sa vie. Pourquoi ? Avait-elle peur de lui ? Craignait-elle qu'il lui fasse du mal ? Ses cheveux blonds ondulaient autour de son beau visage ovale et ses yeux bleus ressortaient encore davantage sur la pâleur de son teint. Même ainsi, les traits tirés et manifestement épuisée, elle était d'une beauté stupéfiante, reconnut-il avec un frisson.

— Mes inquiétudes étaient fondées, dit-elle calmement.

Un enfant… Sans rien montrer du choc qui l'ébranlait, Zahir répliqua d'un ton neutre :

— Je pensais que tu prenais la pilule.

— Oui, tu en étais même persuadé, je me souviens. Tu me…

— Pourquoi ne prenais-tu pas de précautions ? coupa-t-il avec autorité.

— Je n'avais pas de raison de le faire, puisque je ne couchais avec personne. Alors, tu vois, inutile de me demander de qui est l'enfant.

— Il est normal que je te pose la question. Je ne voudrais pas t'offenser mais j'avais cru comprendre que tu avais d'autres amants.

— Il ne faut pas croire tout ce que raconte la presse, riposta-t-elle en redressant le menton.

— Je ne me fie pas à ce qu'écrivent les journalistes. Mais même s'ils exagèrent ou inventent parfois, je m'estime néanmoins en droit de douter de la paternité de cet enfant, vu que, jusqu'à aujourd'hui, nous n'avions couché ensemble qu'une seule fois.

— Je suis d'accord avec toi : c'est étonnant. Et pourtant… ton sperme doit être particulièrement performant.

— Ne plaisante pas avec cela !

— Très bien, répliqua-t-elle en réprimant un sourire moqueur. De toute façon, je ne peux pas te prouver que ce bébé est de toi avant sa naissance. Mais si tu repenses à ce qui s'est passé dans cette tente, tu te rendras compte que, ironiquement, tu es le seul amant que j'aie jamais connu.

Incrédule, il la dévisagea.

— C'est impossible.

— Oublie les ragots, la presse et tes préjugés à mon égard, et concentre-toi sur la réalité, poursuivit Saffy avec calme. Tu n'es pas stupide, Zahir. Alors réfléchis et tu seras forcé d'admettre que j'étais vierge avant de coucher avec toi.

Saffy vit dans le regard de Zahir le moment précis où il repensa aux taches de sang découvertes sur le drap après leur étreinte. Il blêmit sous son hâle, poussa un juron, puis détourna les yeux en serrant les poings.

— Si c'est vrai, je me suis gravement trompé sur ton compte, dit-il de sa belle voix grave.

— Et moi j'ai commis une erreur, Zahir. J'ai couché avec toi de mon plein gré, alors c'est mon… mon problème.

— Si cet enfant est de moi, c'est autant mon problème que le tien, riposta-t-il en se retournant vivement vers elle. Et je ne considère pas notre enfant comme un *problème*.

Un éclat farouche traversa son regard.

— Nous nous remarierons dès que j'aurai tout arrangé.

— Nous remarier ? Tu plaisantes !

— Je ne plaisanterais jamais sur l'avenir de notre enfant, protesta-t-il d'un air choqué. Et cet avenir ne peut être garanti que par notre mariage.

— Tu sais aussi bien que moi comment cela s'est terminé la première fois, rétorqua-t-elle en refrénant à grand-peine son irritation.

Bon sang, à quoi jouait-il ? Il ne pouvait pas parler sérieusement !

— Depuis la mort de mon père et mon accession au trône, tout a changé à Maraban, dit-il posément. Nous pourrions vivre une existence normale, à présent. Et puisque tu es enceinte, je vais t'épouser, c'est la seule solution envisageable.

La seule solution envisageable ? Comment osait-il ? En Saffy, la colère succéda à l'incrédulité. Comme d'habitude, il était déterminé à tout prendre en charge, tout décider. Il ne réagissait pas en homme mais en souverain, en personnage public. Une seule chose comptait à ses yeux : camoufler une erreur embarrassante sous une apparence de mariage respectable.

— Je ne désire pas me marier juste parce que je suis enceinte.

— Est-ce que tu te préoccupes de ce que désirerait ton enfant ? répliqua sèchement Zahir. Si tu ne m'épouses pas, tu le priveras du père et du statut auxquels il a droit. Sans mariage, cet enfant devra demeurer secret. Je ne pourrai jamais avoir une relation normale avec lui.

Oh ! il avait bien préparé son coup ! Il savait comme elle avait souffert de l'abandon de ses parents ! Bouleversée, Saffy détourna la tête. Son enfant n'était pas une notion vague, une ligne bleue sur un bâtonnet de plastique blanc. Il devenait un petit être vivant, susceptible de remettre en question toute son existence. Elle ne pourrait plus jamais faire passer ses besoins et désirs en premier parce que, quels que soient ses choix, ses décisions, elle devrait en répondre un jour devant son enfant.

— Nous pourrions nous marier pour assurer sa légitimité…, commença-t-elle d'une voix tendue. Puis divorcer une nouvelle fois.

Un éclair flamba dans les yeux de Zahir.

— C'est tout ce que tu as à proposer ? La perspective de redevenir ma femme t'est-elle si odieuse ?

Saffy contempla le plancher. Elle songea à la passion qui les embrasait dès qu'ils se touchaient, aux étreintes brûlantes qu'ils avaient partagées. Dans ce domaine au moins, tout avait radicalement changé entre eux. Elle redressa la tête et quand elle croisa les yeux étincelants de Zahir, elle se sentit aussitôt fondre de désir.

— Ne pourrions-nous pas accorder une seconde chance à notre mariage ? poursuivit-il d'une voix rauque.

— Il est trop tôt pour prendre une telle décision, répliqua Saffy, dans une dernière tentative pour garder le contrôle de ses émotions. La première chose à faire, c'est d'aller consulter mon gynécologue afin de savoir si je suis bien enceinte. Ensuite, nous aviserons. Quand tu es arrivé ici, tu m'as demandé de devenir ta maîtresse… et maintenant, tu me parles de mariage. C'est impossible, Zahir, je ne veux pas t'épouser pour la seule raison que tu m'aurais mise enceinte par accident.

Semblable à une statue de marbre, Zahir la contempla un instant en silence, les lèvres pincées.

— Je crois au destin, pas aux accidents, dit-il enfin. Ce qui doit être sera.

Abasourdie, elle redressa fièrement le menton.

— Tu m'as enlevée et conduite au beau milieu du désert pour me séduire, pas pour devenir père ! C'est toi qui as provoqué cette situation, pas le destin !

— Peu importe : le mariage résoudra tout, riposta-t-il avec obstination.

— Comme si c'était aussi simple !

— Ça l'est.

Sans lui laisser le temps de réagir, il lui prit la main.

— Dans l'immédiat, c'est la meilleure décision que tu puisses prendre. Oublie le passé et fais-moi confiance : je m'occuperai de toi et de notre enfant. Je ne vous abandonnerai pas.

— Et tu accepteras de divorcer ensuite ?

Zahir resta silencieux un instant.

— Si c'est ce que tu désires vraiment, si tu es malheureuse comme tu l'as été autrefois, oui, je l'accepterai, dit-il enfin.

**
* *

En voyant Sapphire se détendre, Zahir se garda bien de préciser les détails désagréables qui résulteraient pour Sapphire d'un tel divorce. Pour le bien de Maraban, il ne pouvait se montrer complètement sincère, c'était impossible. Ce qui importait pour l'instant, c'était qu'elle accepte de l'épouser afin d'assurer l'avenir du bébé qu'elle portait.

— Il ne s'agit pas de nous, poursuivit-il, mais de notre enfant.

— Si tu le penses vraiment…

— Oui.

Saffy inspira à fond pour tenter d'apaiser les pensées confuses et terrifiantes qui envahissaient son esprit. Mieux valait ne pas remuer les eaux troubles de son passé avec Zahir. Après tout, seul comptait le bien-être de leur enfant, il avait raison. Et il tiendrait sa promesse, elle n'en doutait pas un instant. A ce niveau, elle lui faisait entièrement confiance.

— Alors, dans ces conditions, j'accepte.

Ces quelques mots lui avaient coûté un tel effort qu'elle se sentit de nouveau vaciller sur ses jambes.

— Je vais tout organiser, s'exclama-t-il en lui lâchant la main.

— Attends ! Cette fois, je veux un *vrai* mariage, dit Saffy d'une voix crispée.

— Ce qui veut dire ?

— Que je ne me contenterai pas d'une cérémonie à la sauvette à l'ambassade. Je veux une robe de mariée et une belle réception à laquelle j'inviterai tous mes amis — et je veux avoir mes sœurs comme demoiselles d'honneur. Sinon, pas de mariage, conclut-elle en redressant le menton.

7.

— Tu sais vraiment ce que tu fais ? demanda Kat, le visage inquiet.

Saffy sentit la culpabilité l'envahir. Elle avait causé tant de stress à Kat… Pourquoi avait-elle mêlé sa famille à tout ce cirque ? Kat avait tenu à s'occuper des préparatifs du mariage et avait réussi l'exploit de tout organiser en une semaine.

Sa sœur recula avant de l'examiner de la tête aux pieds.

— En tout cas, tu es superbe ! reprit Kat avec un sourire.

Saffy contempla son reflet dans le miroir d'un œil critique. Créée par un ami styliste, sa robe à la coupe classique était en effet somptueuse. Le bustier dévoilait ses épaules nues, la jupe tombait en plis fluides jusqu'à ses pieds chaussés d'escarpins de soie blanche. Elle ne portait pas de voile, mais le coiffeur avait remonté ses longs cheveux sur le dessus de sa tête, avant d'y fixer le superbe diadème de saphirs et de diamants envoyé par Zahir. Quant aux boucles d'oreilles assorties, elles étincelaient au moindre de ses mouvements.

— Saffy ? insista Kat en reprenant un ton sérieux. Tu sais, on peut toujours se raviser — même le jour de son mariage. Tu n'es pas *obligée* d'épouser Zahir. Tu n'as pas à te marier pour faire plaisir à quiconque.

Après avoir inspiré à fond, Saffy se tourna vers sa sœur.

— Je désire vraiment donner à notre enfant la chance d'avoir deux parents. Tu as été une mère de substitution formidable pour nous trois, mais j'aimerais offrir un foyer normal à mon enfant avant de continuer à l'élever seule.

— Pour une femme qui va se marier, tu n'es pas très optimiste.

— Je suis *réaliste*. Zahir veut assumer sa paternité, et je le respecte pour cela. Si notre mariage fonctionne, tant mieux, et sinon, j'aurai au moins essayé.

— Je n'arrive pas encore à croire que tu puisses désirer te remarier avec lui. Il y a cinq ans, Zahir t'a brisé le cœur. Saffy, je ne voudrais pas qu'il recommence.

Kat poussa un soupir avant d'ajouter :

— Enfin, Mikhail a vérifié : à Maraban, la situation est stable, désormais, et Zahir semble être quelqu'un de bien.

— Tu ne m'apprends rien ! s'exclama Saffy.

— Il n'a rien trouvé de glauque à son sujet, poursuivit Kat. Zahir a eu des histoires de femmes, évidemment, mais pas en nombre astronomique, et rien de scandaleux.

Saffy serra les mâchoires en maudissant son beau-frère. De quel droit était-il allé fourrer son nez dans la vie privée de Zahir ?

— Il n'a jamais été un tombeur, affirma-t-elle.

Sauf ce jour où il avait débarqué chez elle pour lui proposer de devenir sa maîtresse… A combien d'autres avant elle avait-il fait la même proposition ?

— Es-tu triste qu'Emmie ait refusé de venir ? demanda soudain Kat.

— Non, mentit Saffy pour ne pas augmenter l'inquiétude de sa sœur. Je comprends qu'elle ne veuille pas s'exhiber à ce stade de sa grossesse, et aussi qu'elle ne se sente pas d'humeur à assister à un mariage.

— Un jour, vous devriez vous expliquer, toutes les deux.

— Comment veux-tu que ça arrive, si Emmie m'évite systématiquement ? Quand je l'ai appelée pour lui dire que je comprenais qu'elle ne veuille pas être ma demoiselle d'honneur, mais que j'aimerais qu'elle vienne quand même à mon mariage, juste en tant qu'invitée, elle a répondu qu'elle ne se sentait pas assez bien pour faire le voyage.

— Je crois qu'elle était sincère : sa grossesse a été difficile, tu sais. Elle a eu d'affreuses nausées.

A cet instant, Topsy fit irruption dans la pièce, les yeux brillant d'excitation, puis tourna sur elle-même pour faire admirer sa superbe robe de satin vert. D'un commun accord, elles avaient toutes trois décidé — et Saffy ne doutait pas qu'Emmie les aurait approuvées — que ni leur mère ni le père de Saffy ne seraient invités à la cérémonie. Pourquoi l'auraient-ils été alors qu'elles ne voyaient quasiment jamais Odette ? Quant au père de Saffy, ni sa jumelle ni elle ne l'avaient vu depuis des années.

Le mariage eut lieu dans l'église située tout près de la résidence londonienne de Mikhail et Kat. L'intérieur de l'édifice avait été décoré de fleurs blanches et roses et de rubans. Lorsque Saffy pénétra dans l'église, l'orgue entonna une musique solennelle. Au bras de Cameron, elle s'avança dans l'allée centrale, et quand elle vit la haute silhouette de Zahir au pied de l'autel son cœur se mit à battre plus vite.

Que ressentait-il à l'idée de se remarier avec elle ? Durant cette semaine de folie où elle avait dû préparer son mariage et son départ d'Angleterre, ils ne s'étaient parlé que par téléphone.

Dès que le gynécologue avait confirmé sa grossesse, elle avait appelé Zahir pour le mettre au courant. Puis, ils s'étaient contentés de rapides coups de téléphone pour échanger des détails pratiques concernant la cérémonie. Pas la moindre trace d'intimité dans leurs conversations.

De toute façon, elle n'aurait pas eu le temps pour beaucoup plus. Elle avait passé la semaine à mettre au point avec son agent les modifications de planning imposées par sa nouvelle vie. Deux clients en avaient profité pour rompre leur contrat, mais Desert Ice avait affirmé son souhait d'aller jusqu'au bout de la campagne publicitaire. Dieu merci !

Le toussotement discret de Cameron la ramena au temps présent et elle reporta son attention sur la haute silhouette de Zahir qui l'attendait au pied de l'autel. Quand elle arriva à sa hauteur, il se tourna vers elle et la regarda avec une telle intensité qu'elle se sentit bouleversée au plus profond de son être. Autrefois, elle s'était donnée à cet homme sans conditions, avec toute son innocence, croyant éperdument à l'amour et au bonheur, qu'en était-il aujourd'hui ?

La suite de la cérémonie religieuse passa dans une sorte de brouillard. Saffy entendit Zahir prononcer ses vœux, elle s'entendit répéter les mêmes mots, puis il glissa l'alliance à son doigt et garda sa main dans la sienne. C'était fait, les dés étaient jetés. A cette pensée, une sensation douloureuse lui traversa alors la poitrine.

Quelle différence avec leur premier mariage ! Aujourd'hui, Zahir ne l'épousait *que* pour donner un nom et un titre à leur enfant. Malgré elle, cette certitude lui labourait le cœur.

Juste avant de redescendre l'allée, Zahir posa la main sur ses reins.

— Tu trembles, dit-il quand elle tourna brièvement la tête vers lui.

Saffy le fusilla du regard. Evidemment, elle tremblait ! Elle venait de remettre son sort et celui de son enfant entre les mains de l'homme qui lui avait brisé le cœur.

Au cours de la séance photos qui suivit la cérémonie, Zahir garda le silence. Le visage de Sapphire était d'une pâleur spectrale, et sa famille le regardait avec hostilité et méfiance, hormis la ravissante et pétillante petite créature en robe de satin vert qui lui avait adressé un sourire éclatant.

Sapphire ne désirait pas se remarier avec lui et elle avait sans doute confié sa réticence à sa famille. Chaque fois qu'il la touchait, il sentait Sapphire se raidir. Des réactions qu'il ne connaissait que trop bien… Etait-il possible que tout recommence comme avant, lors de leur premier mariage ? Cette pensée l'emplissait de colère et d'amertume.

Toutefois, Sapphire était de nouveau à lui, et si la froideur qu'elle affichait à son égard représentait le prix à payer, il l'acceptait. De toute façon, leur nouvelle union ne faisait que commencer, seul le temps montrerait de quoi leur mariage serait fait.

— Tu es d'une beauté stupéfiante, murmura-t-il quand elle s'installa à côté de lui dans la limousine.

Le véhicule allait les conduire à l'ambassade où aurait lieu une seconde cérémonie, conforme aux traditions de Maraban.

— Comment te sens-tu ? poursuivit Zahir en se tournant vers elle.

— Je suis enceinte, pas malade, répondit-elle avant de lui tourner résolument le dos.

Après une brève cérémonie et la signature des registres devant les officiels de l'ambassade leur servant de témoins, ils regagnèrent la maison de Mikhail et Kat où se tenait la réception.

Ce n'est qu'après avoir goûté au succulent buffet supervisé par Kat que Saffy commença enfin à se détendre et à profiter de la présence de ses amis. Parmi les invités se trouvaient des mannequins, hommes et femmes, avec qui elle collaborait souvent, ainsi que toute l'équipe qui l'avait accompagnée à Maraban, dans le cadre du tournage pour Ice Desert. Et comme tout le monde la félicitait, elle s'efforça de se comporter en jeune mariée normale.

— Bien sûr, je ne devrais pas en parler aujourd'hui, dit soudain Natasha, une superbe Ukrainienne blonde. Mais Zahir a d'abord été *à moi*.

La jeune top model accompagna ses paroles d'un sourire si éblouissant que l'espace de quelques secondes Saffy eut du mal à assimiler le sens de ses paroles.

— Vraiment ? répliqua-t-elle d'un ton badin en soutenant le regard bleu glacier de Natasha.

— Oui, nous nous sommes rencontrés il y a deux ans, à l'occasion d'un festival de cinéma auxquels nous étions invités lui et moi. Nous avons vécu une aventure inoubliable…

Elle haussa une épaule nue avant d'ajouter :

— J'avoue que j'ai eu du mal à l'oublier.

— Je n'en doute pas, répondit Saffy avant de s'éloigner rapidement.

Non, Zahir n'avait été à personne avant d'être à elle. Il avait été son époux avant d'appartenir à aucune autre femme ! Et pourtant, elle se devait de regarder la vérité en face : Zahir avait recherché le plaisir dans d'autres lits. Une douleur aiguë lui broya le cœur, si violente qu'elle posa la main sur sa poitrine. Malgré elle, son regard revint se poser sur Natasha, dont la beauté et l'appétit sexuel étaient réputés dans les milieux de la mode. Seigneur, imaginer son corps nu enlacé à celui de Zahir… Non, c'était trop ! La peau moite, parcourue de frissons glacés, Saffy se précipita vers les toilettes.

Alors qu'elle se passait de l'eau sur le visage pour se remettre de sa nausée, Topsy apparut sur le seuil.

— Ça va ? Zahir m'a demandé de venir voir si tout allait bien.

Ainsi, même quand il n'était pas avec elle, il l'observait de loin…

— Je viens d'avoir une nausée épouvantable, mais ce n'est pas grave — c'est même normal, vu mon état, dit-elle en se forçant à sourire.

Elle releva le menton et redressa les épaules, prête à affronter la foule. Oui, Zahir avait connu d'autres femmes après leur divorce et cela ne la regardait pas. Si elle avait vécu un peu plus dangereusement, elle aurait elle-même eu des amants. Bien sûr, une petite voix en elle lui disait qu'il n'en était rien, qu'elle avait passé les cinq dernières années à comparer tous les hommes qu'elle rencontrait avec son ex-mari, avant de constater qu'aucun d'entre eux ne lui arrivait à la cheville…

Lorsqu'elle regagna l'immense salle de réception, elle aperçut aussitôt Zahir qui bavardait avec un petit groupe d'hommes d'affaires. Dans son costume gris argent créé spécialement pour lui par l'un des stylistes les plus en vogue du moment, il dégageait un charisme encore plus puissant que d'habitude. Son beau visage aux traits nobles et virils, ses cheveux noirs peignés en arrière, dégageant son haut front lisse, tout en lui était splendide. Ses yeux brillaient tandis qu'il parlait avec animation et ponctuait de temps en temps ses paroles d'un geste de ses belles mains fines.

Oui, son mari était d'une beauté somptueuse… Oubliant déjà la nausée qui venait de l'assaillir, Saffy sentit son corps réagir à ce spectacle. Ses seins gonflèrent sous la soie de son bustier et une douce chaleur se répandit entre ses cuisses. Furieuse de ne pas pouvoir mieux contrôler ses réactions, Saffy se maudit. Elle se consumait pour un homme qui ne l'aimait pas ! Qui ne la désirait même pas vraiment.

A cet instant, comme attiré vers elle par un aimant, Zahir se détourna de son interlocuteur et se dirigea droit vers elle.

— Qu'est-ce qui ne va pas ? demanda-t-il d'une voix douce.

— Pourquoi cela n'irait-il pas ? répliqua-t-elle vivement. Dis-moi, cela te dit quelque chose, un festival de cinéma, il y a deux ans, et une superbe blonde prénommée Natasha ?

La petite pique acerbe lui avait échappé malgré elle.

Une légère rougeur teinta les pommettes de Zahir mais il soutint son regard.

— Je ne te mentirai pas. Mais il n'y en a pas eu beaucoup, et cela n'a jamais été sérieux, dit-il avec calme. Je n'ai pas vraiment envie de parler de cela le jour de notre mariage.

— Moi non plus ! riposta-t-elle avec rage.

Zahir serra les mâchoires.

— Avant de me juger, essaie d'imaginer dans quel état je me suis retrouvé, après notre divorce.

— Comment pourrais-je l'imaginer ?

— Quand tu seras disposée à me dire ce qui a changé en toi sur le plan sexuel, je te dirai pourquoi j'ai agi comme je l'ai fait.

Un éclat farouche illumina son regard. Il la provoquait. Saffy sentit redoubler sa colère.

S'il voulait jouer à ce jeu, il en serait pour ses frais, car elle n'avait pas l'intention de lui confier ses secrets. C'était trop intime, trop personnel. Et surtout, comment réagirait-il s'il apprenait la vérité ? Se détournerait-il d'elle ?

— Seriez-vous en train de vous disputer ? demanda Kat en s'arrêtant auprès d'eux.

Les sourcils froncés, elle les regarda tour à tour d'un air interrogateur.

— Nous avons toujours entretenu une relation… intense, reconnut Zahir.

— Nous aussi, glissa Mikhail en prenant le bras de sa femme. Il faut du temps pour s'adapter à la vie à deux.

— Oui, et beaucoup de patience ! renchérit Zahir avec le plus grand sérieux.

Seigneur, il avait l'air si sûr de lui, si arrogant ! Saffy eut envie de le gifler.

— Vos invités attendent que vous ouvriez le bal, dit alors Kat en souriant.

Saffy n'était vraiment pas d'humeur à danser, surtout avec Natasha qui traînait au bord de la piste… Mais si elle refusait, Kat en serait chagrinée, aussi se força-t-elle à hocher la tête.

Très bon danseur, Zahir possédait un sens inné du rythme, mais Saffy se sentait incapable de se laisser aller entre ses bras. Natasha les suivait du regard ; dans ces conditions, impossible de se détendre. Pourtant, elle ne s'était jamais considérée comme une femme jalouse, mais avec Zahir la violence des réactions qui bouillonnaient en elle la déstabilisait.

Autrefois, Zahir avait été à elle, et tout à elle, se répéta-t-elle farouchement. Et même si leur vie sexuelle avait été désastreuse, elle avait naïvement cru qu'il lui était fidèle. Mais, maintenant, des pensées horribles se bousculaient dans sa tête.

— Je suis surprise que tu n'aies pas invité ton frère et ta sœur, ni Azel, laissa-t-elle tomber pour faire la conversation.

— L'un des enfants de Hayat a dû être hospitalisé suite à une rougeole. Akram assiste à ma place à une réunion de l'OPEP et ma belle-sœur, Azel, ne vit plus avec nous. Elle s'est remariée l'an dernier et vit maintenant à Dubaï. Tu verras les membres de ma famille demain.

— Je serai contente de les revoir. Sont-ils au courant, pour le bébé ?

— Seuls mon frère et ma sœur savent que tu es enceinte. Vu la hâte avec laquelle nous nous sommes remariés, j'ai jugé préférable d'opter pour la franchise avec eux, répondit-il avec un léger sourire.

Saffy se sentit rougir. Que devaient penser Akram et Hayat de son attitude ? Il y avait fort à parier qu'ils étaient choqués par la rapidité avec laquelle elle avait de nouveau succombé au charme de leur frère.

— Quand tu rougis, le bout de ton nez devient écarlate, dit Zahir d'une voix rauque. C'est adorable.

Refusant la trêve qu'il lui proposait, Saffy le foudroya du regard.

— Si tu ne m'avais pas enlevée, rien ne serait arrivé !

Le sourire éblouissant qui éclaira le visage de Zahir la prit au dépourvu.

— Oui, c'est vrai. Mais je ne le regrette pas : je me retrouve avec une épouse ravissante et je vais avoir un enfant. Je ne pourrais être plus comblé !

Troublée, Saffy battit rapidement des cils. Elle ne méritait vraiment pas une réaction aussi généreuse. Soudain, toute la tension accumulée les dernières semaines l'abandonna. Avec un petit soupir haché, elle appuya son front contre l'épaule de son époux et savoura les effluves familiers qui l'enveloppaient : son odeur virile et fraîche mêlée d'une note de bois de santal, chaude et sensuelle.

Tant d'émotions contradictoires s'agitaient en elle ces temps derniers… C'était comme être ballottée en tous sens, passant sans cesse d'un extrême à l'autre. Et ses sentiments demeuraient si confus… Avec Zahir, elle avait vécu tellement de choses en si peu de temps qu'elle se sentait perdue.

Lorsqu'elle s'assit sur la banquette en cuir beige de la limousine qui devait les emmener à l'aéroport, Saffy dormait déjà à moitié. Pour le vol, elle avait passé une élégante robe droite et une veste assortie, presque de la même teinte que ses yeux, et ses cheveux tombaient librement sur ses épaules.

Pour la première fois de la journée, elle se détendait vraiment, réalisa-t-elle en laissant échapper un long soupir. Distraitement, elle contempla l'anneau de platine ornant son doigt. *Ils étaient de nouveau mariés.* Comment était-ce possible ?

— Je crois que je vais dormir durant tout le vol, s'excusa-t-elle quand ils embarquèrent à bord du jet.

— La journée a été longue et il est minuit passé, répliqua Zahir. Mais avant de te laisser dormir tranquillement, j'ai quelque chose à te dire.

Installée dans un fauteuil confortable en face de lui, Saffy défit sa ceinture de sécurité d'une main légèrement tremblante. Qu'allait-il lui annoncer ? se demanda-t-elle avec appréhension.

— Vas-y, je t'écoute.

— J'ai racheté Desert Ice Cosmetics.

8.

Abasourdie, Saffy regarda son époux en silence. Puis, l'esprit obscurci par un brouillard opaque, elle balbutia.

— Tu… as racheté la société ? Mais… pourquoi ?

— Parce que c'était un bon investissement ! répondit-il avec un sourire sardonique.

Reprenant son sérieux, il secoua la tête.

— Non, bien sûr. Je l'ai fait uniquement pour toi. Je savais que tu avais passé un important contrat avec eux et je ne voulais pas qu'ils exercent de pression sur toi durant ta grossesse.

De plus en plus ébahie, Saffy le dévisagea avec incrédulité.

— Je n'arrive pas à croire que tu aies pu t'immiscer ainsi dans ma carrière ! Lorsque je suis allée voir le directeur de la campagne il y a quelques jours, il n'a exercé *aucune* pression sur moi.

— Evidemment, répliqua Zahir avec un sourire cynique. Etant donné que j'étais déjà propriétaire de la société, il ne pouvait que suivre mes directives. Ils ont l'autorisation de photographier ou filmer ton visage autant qu'ils le voudront, mais tout se passera à Maraban.

— A Maraban…, répéta Saffy en fermant brièvement les paupières.

— Maintenant que tu es enceinte, je ne veux pas que tu voyages aux quatre coins de la planète. Ce serait trop fatigant pour toi.

— Qu'est-ce qui te permet de dire cela ? demanda-t-elle d'un ton vif. Que sais-tu des besoins d'une femme enceinte ?

— Je veux que tu ne sois soumise à aucun stress. Cette grossesse n'était pas prévue, ni désirée, mais des modifications doivent être apportées à ton emploi du temps professionnel.

— Ce n'est pas à toi de t'en occuper ! Je ne travaille ni pour toi ni avec toi ! s'emporta-t-elle. Depuis tout à l'heure, tu n'arrêtes pas de te le répéter. Pourquoi ce besoin de me rogner les ailes, de me contrôler ? Cela ne te suffit pas que j'aie accepté de t'épouser ? Est-ce que tu penses à ce que moi, je veux ou ne veux pas ? A ce dont j'ai besoin ? Non, tu ne penses qu'à toi !

— Je n'essaie pas de te contrôler, riposta-t-il, les yeux étincelant de rage. Rien que d'un point de vue logistique, il serait impossible d'assurer ta sécurité dans les endroits perdus où ton travail te conduit parfois.

— Je n'ai pas besoin de sécurité ! rétorqua Saffy sans plus retenir sa fureur. Il m'a fallu cinq ans pour construire et consolider ma carrière, et si j'y suis arrivée ce n'est pas en ayant des exigences absurdes !

Les mâchoires serrées, Zahir soutint son regard sans ciller.

— En tant que mon épouse, tu as désormais besoin de sécurité. Tu représentes une cible, tout autant que moi. Et que cela te plaise ou non, je ne tolérerai pas que tu prennes le moindre risque. Il ne s'agit pas de ta carrière, mais de ton nouveau statut : tu vas devoir t'y faire. Tu n'es plus Sapphire Marshal, mais la reine de Maraban.

— Je ne veux pas être reine !

Saffy était sur le point d'exploser de colère. La logique froide des arguments de Zahir la mettait hors d'elle. Des souvenirs remontaient, toutes ces vieilles querelles au cours desquelles il démolissait tous ses arguments en se réfugiant derrière une logique et un sens pratique imparables.

— Tu t'es bien gardé de m'en parler, Zahir. Je pensais juste devenir ta femme, ta compagne !

— Regarde la réalité en face : tu ne peux quand même pas m'avoir épousé en oubliant que j'étais le roi de Maraban !

A bout de nerfs, Saffy eut envie de hurler. Durant la semaine passée, elle avait eu tellement de choses à faire qu'elle n'avait pas eu le loisir de songer au statut qui l'attendait à Maraban. En fait, elle avait préféré ne pas penser à Maraban du tout. Durant son premier mariage, elle avait été si malheureuse là-bas…

— Je n'y ai pas pensé, marmonna-t-elle en s'efforçant de refréner sa colère. Mais je ne veux pas devenir reine. Je ne suis pas faite pour ce rôle.

— Si tu persistes dans cette attitude, tu auras du mal à tenir ton rang, en effet ! riposta-t-il avec hauteur. Il y a cinq ans, tu as fait davantage d'efforts pour t'adapter, alors que tu étais si jeune. Et maintenant que…

— J'étais stupide, à l'époque ! explosa Saffy. Et j'aurais été prête à tout pour vous faire plaisir, à toi et à ta famille. J'ai essayé de devenir quelqu'un que je n'étais pas, et personne ne m'en a remerciée !

— Tout a changé depuis. Maraban est sorti de l'âge des ténèbres pour entrer dans le vingt et unième siècle. Moi aussi, j'ai changé, affirma-t-il avec force. Je ne garderai plus de secrets vis-à-vis de toi.

— Des secrets ? De quels secrets parles-tu ?

— Il y a cinq ans, je t'ai caché beaucoup de choses, pour te protéger. Du moins, j'ai *tenté* de te protéger. Mais, cette fois, je ne recourrai pas aux mensonges ni aux demi-vérités.

Il allait lui parler des autres femmes, comprit Saffy avec désespoir. Une douleur aiguë lui transperça la poitrine. Quels autres secrets Zahir aurait-il pu lui cacher ? Comme il n'avait pas pu assouvir son désir dans la chambre maritale, il était allé voir ailleurs. Peut-être dans ce château perdu au beau milieu du désert, où son père possédait un harem…

Soudain, tout s'éclairait : les soi-disant manœuvres militaires auxquelles Zahir disait devoir participer, s'absentant parfois plusieurs semaines d'affilée… Où se rendait-il vraiment ? Là où il trouvait ce qu'elle-même était incapable de lui offrir ?

Envahie par une crainte affreuse, Saffy préféra se retrancher dans le silence afin de conserver un minimum de dignité — et pour se protéger de révélations douloureuses qu'elle ne se sentait pas la force de supporter pour l'instant.

— Je suis fatiguée, Zahir. Je vais me coucher et je te remercie d'avoir rendu notre nouvelle nuit de noces presque aussi pénible que la première, lança-t-elle d'une voix dure.

A en croire l'expression qui venait d'envahir son visage, il avait oublié que c'était leur nuit de noces. Ainsi, aux yeux de Zahir, elle était déjà passée du statut de femme désirable à celui d'épouse enceinte et dépourvue d'attraits. Il n'avait pas perdu de temps.

La mâchoire crispée, Zahir résista au désir de riposter. Avait-elle vraiment pensé qu'ils consommeraient leur nuit de noces à bord du jet, alors qu'elle était épuisée après cette journée et celles qui l'avaient précédée ? Le souvenir de leur première nuit à Maraban, cinq ans plus tôt, lui faisait encore horreur. Il se rappelait parfaitement le malaise de sa toute jeune épouse, ses peurs, sa détresse, ainsi que sa propre incompréhension et son sentiment d'échec. A dix-huit ans, Sapphire était si jeune, si naïve, mais il ne s'en rendait compte que maintenant. Assailli par une culpabilité atroce, il la regarda refermer la porte de la cabine. Avant de le quitter, elle l'avait regardé, le visage blême, et il aurait donné n'importe quoi pour voir un peu de couleur revenir sur ses joues.

Dire qu'il avait cru bien faire en lui annonçant qu'il avait racheté Desert Ice… Bon sang, il l'avait fait *pour elle* ! Comment pouvait-elle en douter ?

Une fois seule, Saffy se sentit accablée de honte. Ses dernières paroles étaient un coup bas, elle le savait. Ce n'était ni la faute de Zahir, ni la sienne, si leur première nuit de noces s'était transformée en catastrophe. Il avait fait preuve d'une douceur et d'une patience inouïes, essayant par tous les moyens de la rassurer. Mais comment l'aurait-il pu alors qu'elle-même ne comprenait pas ce qui lui arrivait ?

Les reproches qu'elle venait de lui balancer à la figure étaient injustes. Elle pensait qu'ils la soulageraient, mais elle se sentait au contraire mesquine et idiote. Bien sûr, Zahir avait raison en parlant de sa sécurité. Après tout, elle était l'épouse du roi de Maraban, elle aurait besoin d'une garde rapprochée dans ses moindres déplacements, c'était indispensable.

Pourtant, elle ne ressemblait vraiment pas à une reine, constata-t-elle en voyant son reflet dans le miroir. Son mascara et son eyeliner avaient coulé, laissant de longues traînées noires sur ses joues. En fait, dès que Zahir avait fait allusion au rôle qui l'attendait, elle avait paniqué, voilà tout. Au fond, elle ne voulait pas le laisser tomber, ni lui causer d'ennuis. Mais que savait-elle du protocole royal ? Rien. Durant leur bref mariage, elle n'avait rien appris dans ce domaine puisque seul le personnel du palais connaissait son existence. Pendant un an, elle était demeurée quasiment *invisible*.

Envahie par un désespoir qu'elle n'aurait pas imaginé ressentir, Saffy laissa ses larmes couler sur ses joues. Non seulement Zahir ne l'aimait pas mais il devait la croire incapable de tenir son rang. Assez ! Pourquoi se souciait-elle autant de l'opinion de son époux ? Pourquoi ne pouvait-elle s'empêcher d'espérer qu'il franchirait la distance qui les séparait et la prendrait dans ses bras pour sécher ses larmes, comme il l'avait fait autrefois ?

Elle avait accepté de se remarier avec lui pour le bien-être de leur enfant. Voilà tout. Pas de quoi se mettre dans cet état. Car *elle n'était pas amoureuse de lui*. Elle se répéta cette phrase comme un mantra jusqu'à sombrer enfin dans le sommeil.

Au matin, le steward, chargé d'un plateau contenant son petit déjeuner, entra dans la chambre pour la réveiller et lui annonça que le jet atterrirait à Maraban dans une heure. Le jeune homme devait trouver étrange que Zahir ne soit pas venu la rejoindre, songea Saffy en lui souriant bravement.

Il avait sans doute dormi dans l'un des fauteuils inclinables. Autant s'y faire, ce ne serait certainement pas la seule nuit qu'il passerait loin de son lit... Non ! Assez ! Pourquoi se torturait-elle en s'interrogeant sur ses éventuelles infidélités ? Cela n'avait plus d'importance désormais. Elle devait se concentrer sur le présent, au lieu de laisser leurs problèmes passés la déstabiliser. Zahir avait raison, ils avaient changé. *Tout* avait changé.

Une demi-heure plus tard, vêtue d'une robe de soie imprimée et d'un gilet en cashmere, elle quitta la chambre en se sentant affreusement fragile.

Superbe dans une longue tunique d'un blanc immaculé qui accentuait encore sa haute taille, Zahir la salua d'un sourire poli. En d'autres circonstances, elle aurait pu éclater de rire : comme toujours, son époux se comportait comme si rien ne s'était passé durant la nuit ! Il semblait même en pleine forme, remarqua-t-elle avec un petit pincement au cœur.

Au temps de leur premier mariage, il avait souvent adopté cette attitude. Quand elle essayait d'aborder des points délicats avec lui, il les repoussait d'un haussement d'épaule, avant de changer de sujet.

— Nous nous sommes disputés, dit-elle. L'aurais-tu déjà oublié ?

— Je ne devrais jamais me lancer dans une discussion sérieuse passé minuit — surtout quand nous sommes tous les deux fatigués, ajouta-t-il avec une lueur amusée au fond des yeux.

Décontenancée par ce trait d'humour inattendu, Saffy sentit des étincelles délicieuses pétiller au creux de son ventre. Les joues en feu, elle le regarda soulever sa tasse avant de la porter à ses lèvres.

— Veux-tu du café ? demanda-t-il.

— Non, merci. Cette nuit, tu as dit…

Zahir l'interrompit d'un geste de la main.

— Laisse tomber. Le moment était vraiment mal choisi, et nous aurons tout le temps d'en reparler.

Saffy étouffa une envie irrésistible de se cabrer, de le contredire. Peut-être avait-il raison après tout. Souhaitait-elle vraiment remuer le passé, au risque de souffrir encore davantage ?

— Ce silence ne te ressemble pas, remarqua-t-il enfin.

— Je suis anéantie par la perspective de devenir reine, admit-elle d'une voix crispée.

— Tu es tout à fait capable de relever ce défi, affirma-t-il avec douceur. Tu as l'habitude d'être regardée sous tous les angles, et tu es si belle que tout le monde va tomber à genoux devant toi.

— Tu crois ?

— Oui, tu l'as toujours été et tu l'es chaque jour

davantage. Et malheureusement — car cela ne devrait pas compter —, la beauté impressionne les gens. D'ailleurs, je n'ai jamais compris que tu ne sois pas devenue vaniteuse et superficielle.

— Des tas de personnes effectuent des tâches bien plus importantes que ce que je fais, répliqua-t-elle d'un ton neutre. Si j'ai réussi dans ma carrière, c'est grâce à mon visage et à ma silhouette — pas à mon cerveau ou mes compétences. Alors, il n'y a franchement pas de quoi se vanter.

— Tu es *beaucoup plus* qu'un visage et une silhouette, affirma Zahir avec force.

Il tendit la main par-dessus la table et la posa sur la sienne.

— Tu as toujours été bien plus qu'une apparence. Et, à Maraban, tu vas pouvoir montrer toute l'étendue de tes capacités.

— Que veux-tu dire par là ? demanda-t-elle, touchée malgré elle.

— Que Maraban et son peuple ont bien besoin de la détermination et de l'énergie de la femme qui donne la majeure partie de ses cachets au profit d'un orphelinat en Afrique.

Ainsi, il savait cela aussi…

— Oui, j'ai découvert ton implication humanitaire de façon tout à fait accidentelle, grâce à ton escroc d'avocat, expliqua Zahir. Et je suis très fier de toi.

— Ces enfants ont si peu… J'ai voulu les aider. Et, grâce à eux, ma carrière a pris un sens moins futile : j'ai senti que je servais à quelque chose.

Lorsque le jet atterrit à Maraban, sur le tout nouvel aéroport, Saffy se sentait moins nerveuse, plus apaisée. Mais lorsqu'ils posèrent le pied sur le tarmac et qu'une musique retentit, jouée par une fanfare militaire, elle repensa aux paroles de Zahir : sa vie allait changer de façon radicale.

Un homme souriant âgé d'une quarantaine d'années se détacha du groupe d'officiels et vint s'incliner avec déférence devant Zahir, tandis qu'une petite fille vêtue d'une robe blanche s'avançait timidement vers elle en lui tendant un bouquet de fleurs.

Quand Zahir lui eut présenté le Premier ministre, celui-ci s'inclina à son tour devant elle. Mal à l'aise, elle regretta de ne pas s'être renseignée sur l'état actuel du royaume. Au lieu de la contrée féodale sur laquelle le roi défunt avait exercé un pouvoir tyrannique, Maraban semblait posséder un gouvernement élu démocratiquement.

La petite fille lui adressa quelques mots de bienvenue dans un anglais parfait. Toujours à l'aise avec les enfants, Saffy bavarda quelques instants avec elle et apprit que le Premier ministre était son père.

Pour la première fois, elle se demanda si elle portait un garçon ou une fille. Un petit Zahir miniature avec de splendides yeux aux reflets d'ambre, ou une petite fille aux boucles blondes qui un jour essaierait son maquillage et ses robes ? Sans doute plutôt un enfant, garçon ou fille, qui serait un mélange d'elle et de Zahir.

Une limousine les emporta à travers les rues de la ville, bordées de chaque côté d'une foule en liesse.

— Dois-je faire un geste de la main ? demanda Saffy, mal à l'aise.

— Non, souris et essaie de paraître aussi heureuse qu'une jeune mariée est censée l'être, murmura-t-il avec une pointe d'humour.

— Ton peuple semble ravi que tu te sois marié.

— Oui, la notion de famille, de continuité de la lignée, rassure les gens. A condition qu'elle ne leur donne pas un tyran du style de mon père.

Après un silence, il se tourna de nouveau vers elle.

— Au fait, pourquoi ne parles-tu jamais du tien ? Tu ne l'as pas invité au mariage et déjà, il y a cinq ans, tu ne faisais jamais allusion à lui.

— Il s'est remarié et a fondé une nouvelle famille. Le divorce de mes parents a été très difficile. Bref, je ne l'ai plus jamais revu depuis… depuis l'âge de douze ans parce que j'ai… j'ai commis un acte impardonnable.

Zahir l'observa avec attention.

— Qu'as-tu bien pu faire d'assez grave pour être rejetée par ton père ? J'ai du mal à croire que tu aies commis un acte vraiment *impardonnable*.

Indécise, elle le regarda un instant en pinçant les lèvres.

— Eh bien, tu te trompes, répliqua-t-elle enfin.

— Maintenant que tu as commencé, tu dois m'en dire davantage.

Saffy hésita. C'était l'un des deux secrets qui avaient empoisonné sa vie. Mais celui-là, au moins, elle pouvait le divulguer à Zahir, maintenant qu'il faisait partie de sa famille. De toute façon, tout le monde était au courant. Enfin, plus ou moins.

— Comme tu le sais déjà, la vie n'était pas facile à la maison quand nous étions petites, mes sœurs et moi. Et nous étions souvent laissées à nous-mêmes… Alors, bien sûr, nous avons fait pas mal de bêtises.

Un frisson la parcourut tandis que les images de ce jour terrible remontaient du plus profond de sa mémoire.

— Un jour, je suis allée faire un tour en voiture avec des copains plus âgés, et Emmie, ma jumelle. Ce n'était pas une voiture volée, et je ne conduisais pas, évidemment, mais nous avons eu un accident. Emmie a été blessée, gravement, à la jambe. Elle a beaucoup souffert, pendant plusieurs années. Ça l'a empêchée de vivre une adolescence normale, la pauvre. Heureusement, elle n'en garde plus aucune trace, hormis quelques douleurs de temps en temps. Mais nous étions parties avec des amis à moi, donc ce qui s'est passé est ma faute. Et nous avons beau être des jumelles, je suis quand même l'aînée, alors j'aurais dû veiller sur Emmie.

— Tu n'avais que douze ans ! Tu as fait une grosse

bêtise, oui, mais tu n'es pas coupable de ce qui est arrivé. Et puis, tu l'as payé très cher…

— Non, c'est Emmie qui a payé, pas moi. Durant des années, elle s'est comparée à moi, à mon corps qui lui semblait parfait, alors que de son côté elle craignait de boiter à vie. Bien sûr, elle est guérie, mais elle n'a jamais pu me pardonner. Nous savons toutes les deux que je suis responsable de ce qui lui est arrivé. C'est moi qui aurais dû être blessée dans cet accident, pas elle.

— Mais tu as été blessée, murmura Zahir d'une voix douce. Tu portes cette culpabilité en toi depuis ce jour-là, n'est-ce pas ?

Sentant les larmes lui brûler les paupières, Saffy hocha la tête en silence. Durant toutes ces années, elle avait vu Emmie souffrir, tenter de s'intégrer aux groupes d'adolescents de son âge, alors qu'elle ne pouvait ni faire du sport ni danser.

— Et comment a réagi ton père ?

— Il a dit… Il a dit que j'étais mauvaise, que j'étais comme ma mère. Et qu'il ne voulait plus jamais me revoir.

— Et vis-à-vis d'Emmie ?

— Il l'a rejetée elle aussi. Alors, tu vois, ça aussi, c'est ma faute.

— Non, Saffy. Votre père n'avait pas le droit de vous rejeter. J'ai l'impression qu'il s'est servi de vos erreurs comme prétexte pour ne pas assumer ses responsabilités. Aucun père digne de ce nom n'aurait rejeté une fille blessée, ni sa sœur, pour la punir si cruellement.

Saffy sursauta. Jamais elle n'avait considéré la réaction de son père sous cet angle. Zahir avait sans doute raison : cela avait dû bien l'arranger de se débarrasser de deux enfants encombrantes alors qu'il désirait reconstruire sa vie avec sa nouvelle femme. Pas une seule fois il n'était allé voir Emmie à l'hôpital, et lorsqu'elles avaient été placées en famille d'accueil il avait refusé d'intervenir en leur faveur. C'était Kat, leur sœur aînée, qui leur avait offert l'affection et la chaleur dont elles avaient été privées jusque-là.

— J'apprécie ta façon de voir les choses, murmura-t-elle. Mais Emmie ne peut pas avoir ton recul. Et elle continue à m'éviter.

— Je ne la connais pas, mais je crois que tu devrais lui parler franchement. En tout cas, n'y pense plus, pour l'instant, dit-il en lui adressant un sourire qui lui réchauffa le cœur. Et arrête de t'en vouloir pour une chose qui est arrivée, sans que tu l'aies provoquée ou que tu puisses l'empêcher.

Il se pencha vers elle et lui posa une main sur la cuisse. A ce contact, Saffy sentit des frissons brûlants se propager dans tout son corps.

— Et si nous n'étions pas observés par des centaines de personnes, reprit-il d'une voix rauque, je te prouverais ici et maintenant que tu es la femme la plus merveilleuse et la plus désirable que j'aie jamais connue.

Un immense soulagement envahit Saffy : ainsi, ses aveux n'avaient pas entamé le désir que Zahir éprouvait pour elle.

— Comme tu l'as dit, nous avons tout le temps, à présent, murmura-t-elle. Cette nuit, quand tu as eu l'air de te désintéresser de notre nuit de noces, j'ai cru avoir perdu tout attrait pour toi, maintenant que je suis enceinte.

— Tu plaisantes ? demanda-t-il en éclatant de rire.

— Non.

— Savoir que tu portes mon enfant accroît le désir qui me consume, Saffy.

Saffy soupira. Elle aurait dû être heureuse qu'il la désire, alors pourquoi cette pointe de regret ? Inutile de le nier, elle voulait bien davantage que de la passion charnelle de la part de son époux. Mais leur mariage ne faisait que commencer et elle saurait être patiente. Elle l'aimait d'un amour si profond et impérissable qu'elle ne pouvait plus se le cacher. Si elle avait accepté de se remarier avec lui, c'était parce qu'elle souhaitait redevenir sa femme, pas seulement parce qu'elle était enceinte de lui, elle le savait bien.

Elle désirait Zahir, elle l'aimait, et elle ferait tout pour que leur union fonctionne. Et aussi, elle cesserait de se torturer chaque fois qu'elle le verrait s'adresser à une autre femme, elle s'en faisait la promesse.

Ce mariage représentait un nouveau départ dans leur vie, pas une répétition des erreurs et des malentendus passés.

9.

Edifié par les lointains ancêtres de Zahir, le palais royal avait été agrandi et rénové par les générations successives de sa famille, mais dès qu'elle l'aperçut Saffy se rendit compte des transformations extraordinaires qu'il avait subies depuis qu'elle l'avait quitté, cinq ans plus tôt.

Plus aucune trace de la vaste cour sur laquelle donnait autrefois l'entrée principale, et qui servait alors de parking pour les véhicules militaires et les limousines. A sa place s'étalaient maintenant de somptueux jardins parsemés de hauts arbres magnifiques, dont l'ombre devait être fort appréciable dans ce pays chaud. Emerveillée, Saffy contempla les parterres de fleurs aux couleurs éclatantes et les élégantes fontaines se dressant çà et là, au milieu de petites terrasses agrémentées de bancs et de fauteuils.

Au passage de la limousine, les jardiniers interrompirent leur tâche pour incliner la tête avec respect. Sous le règne du défunt roi, celui-ci exigeait que chacun s'agenouille devant lui, se rappela Saffy. Mais, heureusement, Zahir avait visiblement mis fin à ces manifestations choquantes de servilité.

— Tout est si différent, murmura-t-elle lorsque la limousine s'arrêta devant le haut porche. C'est bien plus accueillant.

— Au fil des siècles, ce palais a pris des proportions tellement démesurées que nous avions d'abord envisagé de le détruire. Surtout que je ne vis pas comme mon

père, entouré de centaines de serviteurs et de gardes…
Mais vu qu'il s'agit d'un monument historique, nous
avons préféré effectuer des aménagements radicaux. Le
gouvernement occupe l'aile principale, et c'est là qu'ont
lieu les événements officiels.

Il s'interrompit et lui adressa un sourire, avant de
poursuivre :

— Nous jouirons donc d'une intimité totale, ne t'inquiète
pas. Et, bien sûr, tu seras libre de faire effectuer tous les
travaux que tu voudras dans l'aile où nous vivrons. Cette
fois, je veux que tu te sentes chez toi au palais.

Saffy lui rendit son sourire et pénétra dans le hall
somptueux. Entourée de toute cette splendeur, une pensée
la frappa : dire que leur enfant avait été conçu sous une
tente… Vaste, certes, et aménagée de façon royale, mais
une tente quand même ! A cette pensée, un petit rire lui
échappa. A part Zahir et elle, personne ne connaîtrait
sans doute jamais ce détail.

Une délégation vint les accueillir et Saffy reçut de
nouveaux bouquets de fleurs. Des bouquets qui lui furent
aussitôt repris, comme si elle était supposée ne *rien* porter
du tout, remarqua-t-elle en réprimant un sourire amusé.

Puis Zahir lui prit la main et la conduisit vers un petit
salon où un jeune homme et une femme les attendaient.

— Sapphire… !

Hayat, la sœur de Zahir, la serra dans ses bras et
l'embrassa sur les deux joues. La jeune femme brune
et svelte d'autrefois s'était un peu arrondie, mais elle
paraissait toujours aussi chaleureuse. Cinq ans plus tôt,
Hayat et son mari vivaient en Suisse, aussi n'avaient-elles
pas eu l'opportunité de faire vraiment connaissance, mais
Saffy avait toujours apprécié la sœur de Zahir.

— Et voilà Akram, que tu as connu alors qu'il n'était
encore qu'un tout jeune garçon, dit alors Zahir.

Saffy l'aurait reconnu immédiatement tant il ressemblait à son frère. Pourtant, une lueur hostile brillait dans

son regard sombre tandis qu'il lui souhaitait poliment la bienvenue. Après l'échec de leur premier mariage, peut-être ne la considérait-il pas comme l'épouse idéale pour son frère, le roi. A moins qu'il n'apprécie pas qu'elle soit déjà enceinte… A cette pensée, Saffy réprima un mouvement d'humeur. Dans ce cas, il devrait songer qu'il fallait être deux pour concevoir un enfant !

Lorsqu'elle découvrit l'aile qui leur était réservée, Saffy fut agréablement surprise par la modernité de la décoration et des équipements. Au temps du règne de Fareed, les pièces regorgeaient de dorures en tout genre, de papiers peints aux couleurs vives et agressives, de tentures à frous-frous et d'imposantes statues de femmes à demi nues. Mais, à présent, il ne restait plus la moindre trace de mauvais goût.

— Ton père a-t-il vécu dans cette partie du palais ? demanda-t-elle.

— Non. Il n'y venait jamais, c'est pour cela que j'ai choisi d'y vivre. Je n'ai pas voulu m'installer dans l'aile principale où il a régné en despote sur son peuple et sa famille. Elle contient trop de mauvais souvenirs. Comme je te l'ai dit tout à l'heure, nous avons décidé qu'elle hébergerait désormais le siège du gouvernement.

— Tout est très beau, murmura Saffy en effleurant les rideaux vaporeux des larges fenêtres donnant sur les jardins. Notre enfant y sera heureux, j'en suis sûre.

— J'ai encore un endroit à te montrer, dit Zahir en l'entraînant dans le couloir.

Après être passé devant une bonne douzaine de portes, il s'arrêta devant la dernière, à deux battants.

D'un geste théâtral, il les ouvrit avant de reculer d'un pas en s'inclinant.

— Voici notre chambre. Je l'ai fait refaire pour nous.

Leur chambre… En cette fin de matinée, la vaste pièce était baignée de soleil, et au milieu trônait un grand lit couvert de soie blanche sur lequel ressortait une multitude de coussins multicolores. Dans de hauts vases, de superbes bouquets de fleurs embaumaient la pièce. L'ensemble était à la fois léger, lumineux, et luxueux. Deux salles de bains jouxtaient la chambre. Dans l'une d'elles, Saffy découvrit un Jacuzzi susceptible d'accueillir une famille entière.

— Je t'imagine déjà vivant ici, murmura Zahir derrière elle.

Son souffle lui caressa la nuque tandis qu'il refermait les mains sur ses hanches.

— C'est vrai ?

Elle se retourna entre les bras de son mari et le regarda dans les yeux. Comme toujours, l'éclat de désir farouche qu'elle y lut la bouleversa.

— Moi, je ne m'y imagine qu'avec mon époux, reprit-elle d'une voix rauque.

La sonnerie du téléphone de Zahir interrompit leur conversation.

— Je n'oublierai pas tes paroles, dit-il, comme une promesse, avant de répondre à l'appel.

Après avoir échangé quelques mots avec son interlocuteur, il remit son mobile dans sa poche, puis expliqua à Saffy qu'il était désolé mais qu'il devait s'absenter et la retrouverait plus tard.

Déçue malgré elle, Saffy tenta de faire bonne figure. Il y avait fort à parier que ce genre de situation se présenterait souvent. Leur intimité passerait après le devoir, autant s'y résoudre. Avec un soupir, Saffy retourna explorer les pièces où elle allait vivre avec son mari et plus tard leur enfant. Alors qu'elle s'avançait dans le couloir, elle croisa un domestique chargé d'une partie de ses bagages et lui sourit. Aussitôt, l'homme inclina la tête en répondant à son sourire.

L'atmosphère du palais avait *vraiment* changé, songeat-elle en repensant à la terreur qui y régnait autrefois.

Elle s'installa dans le jardin pour profiter de la fraicheur du soir et une jeune femme ne tarda pas à lui apporter du thé et de délicieux petits gâteaux sec. A l'ombre de majestueux palmiers, alors que la chaleur du jour s'éloignait, Saffy se sentit soudain détendue. Et même heureuse. Elle et Zahir étaient redevenus mari et femme, elle portait leur enfant et, oui, elle était *heureuse*. En fait, elle ne se souvenait pas d'avoir été aussi sereine de sa vie. Quant à ses sentiments pour Zahir, leur puissance ne cessait de l'étonner. L'avait-elle toujours aimé ainsi ? Etait-ce à cause de la force de cet amour qu'elle n'avait jamais pu se sentir attirée par un autre homme, après leur divorce ?

Lorsqu'il l'appela, quelques heures plus tard pour s'excuser de ne pouvoir la rejoindre avant l'heure du dîner, elle décida de profiter du calme de la soirée avec un bon roman. Cela faisait si longtemps qu'elle n'avait pas goûté à une telle sérénité… Quand Zahir apparut sur la terrasse où elle lisait, elle se tourna vers lui en souriant. Il semblait en pleine forme. Et qu'il était beau, viril, ici, dans son élément.

— Je pensais que tu serais furieuse que je t'ai laissée seule tout l'après-midi…

— Je n'ai plus dix-huit ans ! répliqua-t-elle en riant. Et je comprends que tu ne puisses pas tourner le dos à tes responsabilités.

— Oui, mais t'abandonner le jour de ton arrivée à Maraban, c'est un peu dur, je le reconnais.

Après lui avoir déposé un doux baiser sur les lèvres, il se redressa, un sourire malicieux éclairant son beau visage.

— J'ai pris une décision qui devrait te faire plaisir : j'ai bloqué deux semaines à la fin du mois. Deux semaines durant lesquelles je serai tout à toi, c'est promis.

Il la regarda un instant en silence avant de poursuivre.

— Nous pourrons voyager, rester ici, ou faire ce que

tu voudras, mais je ne laisserai rien ni personne me détourner de mon rôle d'époux.

Impressionnée, Saffy ne sut que répondre. Cinq ans plus tôt, Zahir ne s'était jamais donné la peine de prendre ce genre d'initiative. Oui, lui aussi, il avait changé…

Le dîner servi dans la salle à manger fut un vrai régal. Un chef de talent régnait apparemment sur la cuisine. Et, pour ce premier soir, il s'était surpassé !

Au cours du repas, Zahir se montra plus détendu qu'elle ne l'avait jamais vu. Il lui expliqua avec passion son projet de développer les infrastructures du pays afin d'y attirer davantage de touristes. Comme pris d'une inspiration, il lui proposa de participer à un film destiné à mettre en valeur les atouts de Maraban.

— Nous avons des plages superbes, des sites archéologiques, des montagnes, dit-il avec enthousiasme. Toi qui as l'habitude des caméras, tu saurais très bien les présenter.

— Oui, mais je n'ai pas l'habitude de *parler* devant une caméra.

Consciente qu'elle se montrait négative alors qu'elle était ravie qu'il lui offre la possibilité de se rendre utile, elle ajouta avec un petit sourire :

— Et puis, il faudrait déjà que je découvre ces endroits.

Zahir la dévisagea en silence. Sans doute songeait-il à leur premier mariage, durant lequel elle n'avait pas eu la permission de sortir du palais. Quel gâchis !

— C'est aussi bien que tu ne les connaisses pas encore, dit-il enfin. Tu auras un regard neuf et tes remarques seront plus authentiques. Notre service de relations publiques n'est pas encore très développé… Heureusement, après la chute de l'ancien régime, de nombreuses personnes exilées ont accepté de revenir à Maraban. Ce sont pour la plupart des gens de grande valeur, dans toutes sortes de domaines, et ils ont choisi de travailler à faire entrer Maraban dans le vingt et unième siècle.

— C'est merveilleux qu'ils aient répondu à ton appel, dit-elle en souriant.

— Oui, mais pas aussi merveilleux que de t'avoir de nouveau avec moi ici, à Maraban, répondit-il en se levant d'un mouvement gracieux.

Puis il s'inclina devant elle.

— A présent, accepterez-vous de partager ma couche, Majesté ?

— Je crois que je ne m'habituerai jamais à ce titre… Quant à ta proposition…

Elle pencha légèrement la tête sur le côté en faisant mine de réfléchir alors que son cœur battait à tout rompre.

— La nuit dernière, tu m'as fait faux bond, continua-t-elle.

Les pommettes de Zahir foncèrent légèrement.

— J'ai pensé que, si j'allais te rejoindre dans la cabine, je ne serais pas le bienvenu.

— Eh bien, tu t'es trompé, murmura Saffy, les joues en feu.

Un sourire de triomphe aux lèvres, Zahir se rapprocha d'elle et la souleva dans ses bras, avant de s'avancer dans le couloir à grands pas. Savourant la chaleur émanant du corps de son époux, Saffy laissa échapper un petit rire heureux. A mi-chemin de leur chambre, Zahir pencha la tête et prit sa bouche avec fièvre.

— Je ne peux pas attendre une seconde de plus. Je n'ai pensé qu'à cela durant toute la journée : au moment où je serais enfin seul avec toi.

En trois enjambées, il rejoignit la chambre et, avec une délicatesse infinie, il la déposa sur le lit. Débarrassé des nombreux coussins ainsi que du jeté de soie blanche, il semblait encore plus immense. Et il avait été préparé pour les accueillir…

Sans un mot, Zahir fit passer sa longue tunique par-dessus sa tête avant de se débarrasser de son caleçon. Fébrile, Saffy ôta ses chaussures, mais s'interrompit devant l'air contrarié de Zahir.

— Je devrais aller me raser…

Elle se redressa et le retint par le bras.

— Non. Pas maintenant ! répondit-elle d'un ton ferme.

— Je ne voudrais pas irriter ta peau si fine et si soyeuse, répliqua-t-il en riant de son somptueux rire de gorge.

Lentement, Saffy passa les mains sur son torse musclé et chaud.

— Je refuse que tu quittes cette chambre, dit-elle d'une voix rauque. Tu es tout à moi, maintenant, et je ne te laisserai pas t'éloigner une seule seconde.

Dans la lumière tamisée, le beau visage de son mari luisait d'un éclat sombre, primitif, tandis qu'il la contemplait en silence. Mais il ne l'effrayait pas, au contraire…

Doucement, elle laissa descendre ses doigts sur son ventre. Et quand elle les referma autour de son érection, Zahir se laissa retomber sur les oreillers avec une longue plainte.

— Tu as raison, murmura-t-il. A présent, je ne quitterais ce lit pour rien au monde.

Alors, elle se pencha au-dessus de lui, laissant ses longs cheveux lui caresser le ventre. Parfaitement immobile, il poussa un juron étouffé. Et quand elle s'enhardit jusqu'à effleurer son sexe de ses lèvres, il laissa échapper un gémissement.

— C'est notre nuit de noces, murmura Zahir. C'est moi qui devrais…

— Chacun son tour, l'interrompit-elle dans un souffle. Pour l'instant, c'est moi qui décide…

Au moment où elle prit son sexe dans sa bouche, il souleva les hanches avec une plainte rauque et enfouit les mains dans les cheveux de Saffy. Alors, elle se mit à le lécher avec de plus en plus d'audace, jusqu'à ce qu'il la saisisse par la taille et l'allonge sous lui d'un mouvement impérieux. Comme s'il se sentait incapable de supporter ses caresses plus longtemps.

Ivre de volupté et ravie de constater qu'elle faisait naître en lui des réactions échappant à son contrôle, Saffy regarda Zahir s'installer sur elle, le regard fiévreux. Et quand il s'enfonça en elle et se mit à bouger lentement, un cri de ravissement franchit ses lèvres. Jamais elle n'aurait soupçonné que la lenteur puisse provoquer une telle volupté.

— Maintenant, c'est moi qui décide de tout, dit-il d'une voix sourde.

Il bascula légèrement les hanches et, aussitôt, un frisson exquis la traversa. Alors, il se redressa légèrement, et se mit à onduler avec une lenteur consommée. C'était si bon, il lui faisait l'amour avec un tel art, que Saffy s'abandonna tout entière à son étreinte.

Longuement, il la tint ainsi au bord de la jouissance. Le plaisir montait en elle, l'emportant vers des cimes nouvelles, jusqu'à ce qu'une vague plus puissante que les autres la transporte dans un lieu merveilleux, où tout n'était que lumière et volupté.

Le corps traversé par un violent tremblement, Saffy s'abandonna à l'extase.

Ensuite, elle resta longtemps immobile, enveloppée dans la chaleur de Zahir, émerveillée qu'ils soient de nouveau réunis, à Maraban.

— Maintenant, tu vas peut-être me dire quel événement a transformé la jeune fille terrifiée d'autrefois en la femme audacieuse que tu es devenue ? demanda Zahir au bout d'un long moment.

Il roula sur le côté en la gardant serrée contre lui.

— L'événement, ou l'homme…, reprit-il d'une voix plus dure.

A ces mots, Saffy se raidit. Non, elle ne pouvait pas le

lui dire. Au risque de détruire l'intimité qu'ils venaient de partager et les nouveaux liens qu'ils créaient.

Mais Zahir attendait sa réponse, elle le sentait.

Au bout d'un long silence, Zahir la serra plus fort contre lui, avant de la relâcher. Il s'écarta alors et la regarda dans les yeux. Privée de sa chaleur, Saffy frissonna. Il *exigeait* une réponse, comprit-elle en sentant les larmes se presser sous ses paupières. Et il ne supporterait pas qu'elle s'esquive.

Désespérée, Saffy ferma brièvement les yeux. Que faire ? Lui dire la vérité ? Pourquoi pas après tout ? Zahir semblait ne jamais rien redouter, ni se soucier de l'opinion d'autrui. Pourquoi ne pourrait-elle pas l'imiter ? Pourquoi ne lui révélerait-elle pas la vérité sans se préoccuper de ce qu'il penserait d'elle ensuite ?

Non, une barrière invisible l'en empêchait toujours. Ce secret n'appartenait qu'à elle. Il lui avait fallu de longs mois de thérapie pour en surmonter la honte et la peur qui la paralysaient et oser en parler. Jamais elle n'oublierait ce jour où, grâce à l'aide et à la patience de sa thérapeute, les mots avaient soudain jailli d'eux-mêmes.

Ce n'était qu'à partir de là que Saffy avait pu enfin se libérer du passé qui l'empêchait de vivre sa vie de femme. Résolument, elle tourna le dos à son époux et fit mine de s'endormir.

10.

Le matin suivant, le petit déjeuner se déroula dans un silence quasi total. Zahir s'adressa à elle avec sa politesse habituelle, mais dans chacun de ses regards, dans la moindre de ses intonations, Saffy crut déceler désapprobation et soupçons.

Une vague de nausée lui montant soudain aux lèvres, elle reposa la tranche de pain grillé qu'elle venait de prendre dans la corbeille, s'excusa à la hâte et se précipita vers la salle de bains.

Après avoir rejeté le peu de nourriture qu'elle avait avalé, Saffy se sentit si faible qu'elle se recoucha. Elle venait à peine de s'allonger quand Zahir poussa la porte de la chambre et s'immobilisa sur le seuil.

— Entourée de toutes ces fleurs, tu ressembles à la Belle au bois dormant…

— Pourtant, je n'ai vraiment pas l'impression d'être une héroïne de conte de fées…, répliqua-t-elle d'une voix mal assurée.

— Je viens d'appeler le gynécologue de Hayat.

— Pourquoi ? Ce n'était pas la peine !

— Puisque tu es malade, tu dois voir un médecin, affirma Zahir d'un ton péremptoire.

— Je ne suis pas malade ! Avoir des nausées, c'est tout à fait normal à ce stade de ma grossesse : il n'y a pas de quoi s'alarmer !

— Je n'aurais pas dû te fatiguer la nuit dernière, dit-il, le regard sombre.

Saffy se redressa avec précaution.

— Cela n'a rien à voir avec ce que nous avons fait ensemble, Zahir. Mon corps a besoin de s'adapter à sa nouvelle condition, c'est tout à fait normal, je t'assure !

— Je ne cesserai de m'inquiéter que lorsque le médecin m'aura rassuré, insista Zahir d'un ton buté. Et même si tu n'en as pas envie, tu devrais essayer de manger quelque chose. Sinon, tu vas perdre toutes tes forces.

Car telle était la volonté de Sa Majesté…. Réprimant son irritation, Saffy regarda Zahir se détourner et quitter la chambre la tête haute. En fait, il se fichait qu'elle ne se sente pas bien. Il ne s'inquiétait pas par amour, mais par *obligation*. Combien de temps patienterait-il avant qu'elle ne lui révèle son secret ? Son mari était curieux et puissant. Il découvrirait tôt ou tard la vérité concernant son passé, elle n'en doutait pas. Et puis, comment lui en vouloir ? N'était-il pas normal qu'il veuille comprendre l'origine du changement qui s'était produit en elle depuis leur divorce ?

Oui, elle serait *forcée* de tout lui révéler un jour ou l'autre. Mais pas aujourd'hui. Aujourd'hui, elle ne s'en sentait pas la force.

Hayat accompagna Saffy chez le gynécologue qui l'avait suivie durant ses grossesses. Il s'agissait d'un homme de haute stature aux manières agréables, qui confirma rapidement que les nausées étaient tout à fait normales et qu'il n'y avait aucune inquiétude à se faire.

— Le père s'inquiète *beaucoup* à propos de votre état de santé, n'est-ce pas ? dit-il avec un petit sourire en coin. Ce n'est pas facile de faire comprendre à un roi qu'il se fait trop de souci…

— En effet ! approuva Saffy avec un sourire entendu.

Une fois qu'elle eut rejoint Hayat qui l'attendait dans la salle d'attente, la sœur de Zahir l'invita à prendre le thé dans les appartements qu'elle partageait avec son mari et ses enfants, à l'arrière du palais.

Rahim, médecin et chef de service à l'hôpital, et leurs trois petites filles furent le sujet principal de la conversation, tandis que, installées sur un vaste balcon donnant sur les jardins, elles dégustaient un délicieux thé aux épices accompagné d'excellents biscuits faits par la cuisinière de Hayat.

Après avoir reposé sa tasse sur la table basse, sa belle-sœur se tourna vers Saffy.

— Mon frère doit apprendre à dire *non*, commença-t-elle d'une voix ferme. Dès le jour où il t'a ramenée à Maraban, il s'est laissé entraîner dans des discussions sans fin avec ses ministres, à propos de problèmes de sécurité. C'est inacceptable !

— Zahir a toujours été très consciencieux, répliqua Saffy. Mais je te remercie pour ta présence, Hayat. Vraiment.

— Je sais ce que vous avez traversé, Zahir et toi, lorsque vous vous êtes mariés il y a cinq ans. Et maintenant, notre peuple commence lui aussi à s'en douter.

Une réelle douceur émanait des yeux bruns d'Hayat, posés sur elle.

— Zahir a eu raison d'annoncer publiquement qu'il se remariait avec la femme dont notre père l'avait autrefois forcé à divorcer, continua-t-elle.

Publiquement ? Stupéfaite, Saffy se redressa dans son fauteuil.

— J'ignorais qu'il avait prononcé un discours concernant notre mariage !

— Et dorénavant, mon frère, le roi, sera obligé de mentir au peuple pour vous protéger ! lança une voix forte derrière elles.

— Akram ! s'exclama Hayat en se retournant d'un air scandalisé.

Les joues roses d'embarras, elle regarda de nouveau Saffy.

— Excuse-moi un instant, je t'en prie.

Mais le jeune frère de Zahir semblait trop furieux pour s'arrêter.

— Vous avez quitté mon frère, poursuivit-il d'un ton accusateur. Vous l'avez *abandonné* après tout ce qu'il avait dû supporter pour vous garder comme épouse, contre la volonté de notre père !

Le regard qu'il posa sur elle était si chargé de mépris que Saffy tressaillit.

— Zahir a été emprisonné, battu à cause de vous, et qu'avez-vous fait en retour ? Vous lui avez tourné le dos, vous avez repris votre vie et votre liberté, au moment où il avait le plus besoin de vous !

Le visage blême, Hayat essaya de calmer son frère et voulut l'entraîner, mais il la repoussa d'un geste brusque.

Pétrifiée, Saffy les contempla en silence tandis que les paroles accusatrices d'Akram résonnaient dans son esprit. Zahir emprisonné ? *Battu ?*

— Laisse, Hayat, dit alors une voix familière. C'est à moi de régler cette affaire.

Avec calme et autorité, Zahir s'interposa entre sa sœur et son frère, puis s'adressa à Akram dans leur langue natale. Incapable de dire un mot ou de faire le moindre mouvement, Saffy les observa avec stupeur. Son cœur battait si violemment qu'elle avait l'impression qu'il allait se briser.

Après avoir écouté son frère aîné d'un air buté, Akram tourna soudain la tête vers elle en haussant les sourcils avec incrédulité.

Puis il s'inclina devant elle, avec quelque chose qui ressemblait à du respect.

— Excusez-moi, je me suis conduit de façon impardonnable, dit-il. Je m'étais trompé sur votre compte.

— En effet, c'est Zahir qui a demandé le divorce, répliqua Saffy sans dissimuler une pointe d'ironie.

— Même dans le cas contraire, je n'aurais pas dû vous parler comme je l'ai fait. Cela ne me regardait pas.

Le visage rouge, il baissa les yeux avant de poursuivre.

— Il semble que je me sois trompé depuis des années et, comme mon frère vient de me le rappeler, je n'ai jamais été témoin de ce qui s'est réellement passé entre vous.

Lorsqu'il se tut, Zahir continua à le regarder avec colère.

— Ce n'est pas grave, dit Saffy, désireuse de dissiper la tension qui vibrait dans l'atmosphère. J'espère seulement que, maintenant, vous me jugerez d'un œil moins sévère. A présent, si vous voulez bien m'excuser…

Elle se leva et quitta le balcon.

— Où vas-tu ? demanda Zahir.

— Seulement faire un tour. J'ai besoin d'un peu de solitude.

— Je t'accompagne.

— Non… Je voudrais vraiment être seule quelques instants.

En descendant les marches qui menaient au jardin, elle repensa aux paroles d'Akram. *Zahir a été emprisonné, battu à cause de vous…* Que voulait-il dire par là ? Zahir aurait-il été puni par son père, parce que celui-ci considérait comme un défi qu'il ait osé épouser une étrangère, sans lui demander sa permission ? Pourquoi n'avait-elle jamais songé à cette éventualité ?

Noyée dans sa propre détresse, elle n'avait jamais pensé que Zahir puisse se trouver confronté lui aussi à une épreuve effroyable. *Emprisonné, battu…* Ces deux mots résonnaient sans cesse en elle. Non. Ce n'était pas possible, Akram avait dû exagérer ! Quel père pourrait infliger un tel châtiment à son propre fils ? Toutefois, le roi Fareed n'était-il pas réputé pour sa cruauté ?

A cette pensée, un frisson glacé lui parcourut le corps. Mais si Zahir avait traversé cet enfer, pourquoi ne lui en avait-il jamais rien dit ?

Relevant les yeux, Saffy se rendit compte que plongée dans ses pensées, elle s'était machinalement dirigée vers la partie du palais où elle avait vécu autrefois avec Zahir. Après avoir franchi le haut portail, elle s'avança dans le couloir et s'arrêta devant une porte de bois sculpté. Elle hésita un bref instant, puis actionna la poignée.

Seigneur ! Rien n'avait changé dans la chambre qu'elle avait occupée avec Zahir, cinq ans plus tôt. Lorsqu'elle s'avança dans la pièce, toutes sortes de souvenirs se bousculèrent dans son esprit. Elle revit Zahir l'observant en silence, le regard impénétrable. Elle se souvint de ses absences de plus en plus fréquentes, de son refus à répondre à ses questions. Lui avait-il caché des choses qu'elle aurait dû deviner ? Akram venait-il de dire la vérité ?

— J'aurais dû faire vider cette pièce, murmura la voix de Zahir derrière elle. Mais je venais souvent ici, pour penser à toi.

Saffy se retourna et le dévisagea en silence.

— Quand ? Après le divorce ? Je crois qu'il est temps que nous nous parlions, Zahir…, dit-elle d'une voix tremblante.

— Lorsqu'il a appris notre mariage, mon frère Omar m'a dit que j'étais fou de défier ainsi notre père, commença-t-il avec réticence. Au début, je ne soupçonnais pas du tout à quoi je m'exposais. Omar m'avait trop protégé : il gardait beaucoup de secrets. Et j'étais trop jeune pour faire partie du petit cercle de personnes qui savaient que mon père était devenu un véritable monstre, un despote assoiffé de pouvoir.

— Si je comprends bien, tu as dû regretter rapidement de m'avoir épousée, murmura Saffy en scrutant son beau visage aux traits tendus.

— Je n'ai jamais regretté qu'une chose : le style de vie contre nature qui t'a été imposé, répliqua-t-il avec fermeté. En ce qui me concerne, je n'ai aucun regret.

— Je suis touchée, Zahir. Mais tu ne peux pas être entièrement sincère.

— Je t'aimais plus que ma vie, dit-il d'une voix rauque. Mon erreur a été de me rebeller contre mon père et de te ramener ici, où tu as été réduite à une existence d'otage. J'aurais dû t'épouser et te laisser à Londres. Mais j'étais trop égoïste pour m'y résoudre.

Je t'aimais plus que ma vie. Ses mots résonnaient en elle comme un baume pour ses blessures.

— Moi aussi je t'aimais, dit-elle doucement. Et tu n'as pas été égoïste. De toute façon, j'aurais refusé de rester à Londres sans toi.

— Mais tu ignorais ce qui t'attendait — moi aussi, d'ailleurs, répliqua gravement Zahir. Omar était marié depuis cinq ans et n'avait toujours pas d'enfant. Et notre père montrait de plus en plus de signes d'impatience, évidemment.

— Cela a dû causer beaucoup de stress à Omar et Azel.

— Surtout à Omar car le problème venait de lui et non de sa femme. Mais je ne l'ai appris qu'un peu avant... la *mort* d'Omar. Mon frère aîné avait découvert qu'il était stérile et il redoutait de le dire à notre père, de crainte de me voir passer avant lui dans l'ordre de succession au trône.

Zahir s'interrompit un instant et laissa échapper un soupir lourd.

— Malheureusement, notre père a perdu patience et exigé de son fils aîné répudie Azel, ou prenne une seconde épouse.

Profondément choquée, Saffy ne sut que répondre.

— Et quand je suis revenu après m'être marié sans sa permission, il est entré dans une fureur épouvantable.

Parce qu'il envisageait de me marier à une femme de son choix.

— Bien sûr, acquiesça Saffy en hochant la tête. Mais toi, tu restais persuadé qu'il finirait par m'accepter.

— Je me trompais, reconnut Zahir. J'étais beaucoup plus naïf que je ne le croyais. Je n'aurais jamais pensé que notre père puisse se montrer aussi cruel et aussi pervers vis-à-vis de ses fils qu'il l'était vis-à-vis de son peuple. Je n'étais plus un adolescent, pourtant. J'aurais dû être plus lucide.

— Tout le monde a du mal à voir le vrai visage de ses parents, tu sais. Je ne t'en veux pas de t'être trompé sur son compte.

— L'année où nous nous sommes mariés, mon père a franchi un cap irréversible. Je l'ignorais, mais il se droguait et souffrait de violentes crises de rage. Dès le jour de ton arrivée, il a exigé que je divorce. J'aurais dû céder. Il était bien plus fort que moi, plus puissant. Mais, lorsqu'il s'agissait de toi, je n'ai jamais pu me plier à sa volonté.

Saffy ferma douloureusement les paupières.

— Que t'a-t-il fait, Zahir ? Si Akram a dit ne serait-ce que la moitié de la vérité, j'ai le droit de savoir ce qui t'est réellement arrivé. As-tu été emprisonné, battu ?

Le visage impassible, Zahir la regarda un long moment en silence.

— Je devrais maudire Akram pour ses paroles. Cette conversation est totalement déplacée…

— C'est vrai alors ? l'interrompit-elle d'une voix tremblante. Lorsque tu disparaissais pendant des semaines, tu n'allais pas participer à des manœuvres militaires ?

Zahir hocha imperceptiblement la tête.

Atterrée, Saffy sentit son cœur se serrer. Comment avait-elle pu être aussi aveugle ? Zahir revenait toujours épuisé, meurtri, parfois même blessé de ces interminables périodes d'entraînement. Mais pas une seule fois elle n'avait soupçonné… Seigneur !

Et Zahir ne lui avait jamais rien dit du supplice qu'il endurait…

— Pourquoi ne m'en as-tu pas parlé ? demanda-t-elle en refoulant ses larmes.

— Pour ne pas te perturber. De toute façon, tu n'aurais rien pu faire pour l'empêcher. Omar avait raison : je n'aurais jamais dû te ramener à Maraban. Notre père était un fou, un être démoniaque, incapable de supporter la moindre opposition. Avec lui, c'était tout ou rien, et lorsque je l'ai défié, il a entrepris de me détruire.

— A cause de moi… Parce que tu m'avais épousée, murmura Saffy en détournant les yeux.

— Non ! Cette année-là, j'ai tenu le coup uniquement *grâce* à toi, dit-il d'une voix dure. *Regarde-moi !*

— Je ne peux pas ! s'écria-t-elle en se dirigeant vers la porte. Je dois d'abord réfléchir, Zahir !

Mais, quand elle voulut passer devant lui, il lui prit le bras.

— Je t'ai dit que je ne te mentirais plus, mais je n'ai jamais souhaité que tu connaisses la vérité concernant cette période de ma vie !

— Oh oui, bien sûr, tu préférais jouer les machos et souffrir en silence ! riposta-t-elle sans le regarder. Quand tu revenais après avoir enduré toutes sortes de mauvais traitements, tu m'écoutais me plaindre et répéter que je mourais d'ennui, que je me sentais abandonnée ! Et, maintenant, je me sens la créature la plus égoïste, la plus horrible de la terre !

Incapable de retenir plus longtemps ses larmes, Saffy s'enfuit. Comment Zahir pouvait-il lui faire une chose pareille ? Comment avait-il pu lui cacher ce que son fou de père lui faisait subir ? A l'époque, elle savait bien sûr que le roi Fareed était un monstre, un souverain impopulaire, mais pas un instant elle n'avait imaginé qu'il puisse s'agir d'un tyran drogué, capable d'infliger d'affreuses souffrances à son fils pour lui avoir désobéi ! Quelle idiote elle avait été ! Tout cela s'était déroulé sous ses yeux, peut-être à l'intérieur même du palais !

Comment pourrait-elle jamais se pardonner son aveuglement ? Et comment Zahir pouvait-il lui dire que c'était *grâce à elle* qu'il avait tenu le coup ? C'était ridicule ! Pensait-il la réconforter en disant une absurdité pareille ?

Après s'être réfugiée dans leur nouvelle chambre, Saffy gagna la salle de bains et, immobile devant le miroir, contempla son reflet d'un œil impitoyable. Pourquoi n'avait-elle rien soupçonné de l'horreur que vivait son mari ?

— C'est pour cela que je ne voulais pas que tu connaisses la vérité, dit Zahir dont la haute silhouette parut dans l'encadrement de la porte.

Saffy le regarda dans le miroir et frémit. Dans ce jean noir et cette chemise en lin blanche, il était d'une beauté sublime. Elle l'aimait, l'admirait, s'inquiétait pour lui avec une force contre laquelle elle ne pouvait rien.

— Je savais que tu en souffrirais, poursuivit-il d'une voix sombre. Tout est ma faute…

— Comment pourrait-ce être ta faute ? demanda-t-elle en faisant brusquement volte-face.

— Je t'ai épousée, puis ramenée ici. C'est moi qui nous ai mis tous les deux dans cette situation intenable. Et je t'ai exposée au danger. Je ne me le pardonnerai jamais.

— Tu aurais dû divorcer dès le premier châtiment que t'a infligé ton père ! Comment as-tu pu supporter tout cela, juste pour moi ?

L'ombre d'un sourire se dessina sur la bouche sensuelle de son époux.

— Je t'aimais… Je ne pouvais pas renoncer à toi.

— Si j'avais su, je n'aurais pas toléré que tu souffres à cause de moi ! Comment pouvais-tu me désirer encore, en dépit de ce que tu endurais ? Et dire que je n'étais même pas capable de coucher avec toi !

— Je m'en fichais. Crois-moi : à ce moment-là, ce n'était vraiment pas ce qui me préoccupait le plus.

Quand il s'interrompit et lui tendit la main, Saffy la prit sans hésiter.

— Mais je ne pouvais demander l'aide de personne, poursuivit-il en l'attirant vers lui. Si mon père avait appris que quiconque savait ce qu'il me faisait subir, il aurait pris cela comme prétexte pour te faire expulser…

Saffy laissa échapper un soupir tremblant puis appuya son front contre l'épaule de Zahir.

— Dieu merci, tu as fini par retrouver ton bon sens et divorcer, ce qui a dû calmer un peu ton père.

— C'est probablement la seule et unique chose que j'aie faite par altruisme durant le temps qu'a duré notre mariage, répliqua-t-il d'une voix rauque. La seule fois où j'ai pris une décision pour toi, et pas pour moi.

Retenant son souffle, Saffy sentit les lèvres de Zahir lui effleurer les cheveux.

— Je ne suis pas le saint que tu crois, reprit-il. J'ai commis d'effroyables erreurs de jugement.

Elle redressa la tête.

— Que veux-tu dire ?

— Ma première erreur a été de revenir à Maraban avec toi, il y a cinq ans. Ensuite, trois mois après la mort d'Omar, j'ai découvert qu'il avait été assassiné…

— Quoi ?

— L'un des généraux m'a révélé la vérité lorsque les plus anciens officiers ont commencé à se rebeller contre mon père. Après avoir été battu à mort par les sbires de notre père, Omar est mort d'une blessure à la tête. L'accident de voiture n'était qu'une mise en scène destinée à camoufler la véritable cause de son décès. C'est à ce moment-là que j'ai compris que mon père avait franchi le point de non-retour.

— Mon Dieu… Tu en es sûr ?

— Oui. Je me suis rendu compte que c'était de la folie de vouloir te garder à Maraban alors que mon père désirait se débarrasser de toi. Je n'avais pas le pouvoir de te protéger. En refusant de divorcer, je mettais ta vie en péril parce que je t'offrais comme cible de choix à mon père. J'ai honte qu'il m'ait fallu la mort d'Omar pour accepter de te laisser partir…

Tremblant des pieds à la tête, Saffy se dégagea de son étreinte et alla s'asseoir sur le bord du lit.

— Je comprends maintenant que tu aies décidé de divorcer du jour au lendemain… Pourquoi ne pas m'avoir dit la vérité, Zahir ?

— Parce que cela t'aurait terrifiée, et aussi parce que j'avais honte de ne pas être capable de me défendre contre mon père. De ne pas pouvoir te protéger. Mais en te perdant, j'ai perdu en même temps toute loyauté envers lui. Je ne lui ai jamais pardonné ce qu'il avait fait à Omar, mais te perdre… c'était au-dessus de mes forces.

Tombant à genoux, il appuya un instant son visage contre les cuisses de Saffy avant de redresser la tête.

— Tu ne peux pas savoir à quel point je t'aimais, dit-il d'une voix brisée. Et quelle force il m'a fallu pour renoncer à toi… Mais, plus que tout au monde, je voulais que ta vie soit épargnée, alors c'était la seule chose à faire…

Les larmes jaillirent de nouveau et roulèrent sur les joues de Saffy tandis qu'elle contemplait l'homme qu'elle aimait de toute son âme, agenouillé devant elle. Jamais elle n'aurait imaginé pouvoir ressentir une telle souffrance pour quelqu'un. Face à la détresse de Zahir, elle sentait littéralement son cœur saigner pour lui.

— Je t'aimais tant, moi aussi, murmura-t-elle en lui caressant les cheveux. Mais je ne l'ai compris qu'après notre séparation.

— Plus tard, j'ai essayé de te contacter, dit-il. Après

la mort de mon père et la fin des troubles, j'ai appelé ta sœur, Kat.

— Elle ne me l'a jamais dit.

— Kat m'a supplié de te laisser en paix, poursuivit-il d'un ton amer. Elle m'a expliqué que tu commençais à peine à te remettre de notre séparation, que tu travaillais et que tu avais des amis, et que me revoir ne pourrait que te faire du mal.

Interloquée, Saffy le serra plus fort contre elle. Comment Kat avait-elle pu se tromper à ce point ? Le divorce lui avait déchiré le cœur, mais elle aimait encore Zahir et elle aurait remué ciel et terre pour le revoir.

— Kat n'aurait pas dû répondre à ma place.

A sa grande surprise, Zahir hocha la tête.

— Si, et elle a bien fait. Même si sa réaction m'a rendu affreusement malheureux, ta sœur aînée a eu raison.

— Non, elle a eu tort, insista Saffy.

— Tu étais bien trop jeune pour faire face à ce que je traversais à l'époque, en plus de nos problèmes personnels. Tu avais besoin de temps pour profiter de la vie que tu n'avais pas eue avant de m'épouser.

Il leva la main et lui caressa tendrement la joue.

— Je m'en rends compte maintenant, mais à ce moment-là je ne le comprenais pas. Je voulais seulement que tu reviennes vivre avec moi…

— Je serais venue, murmura-t-elle.

— Tu aurais renoncé à cette brillante carrière qui s'ouvrait à toi ?

— Oui, sans la moindre hésitation. Ma carrière, c'est seulement un moyen de gagner ma vie, de ne pas représenter un fardeau supplémentaire pour Kat.

Zahir se redressa et l'attira contre lui.

— Mais maintenant nous avons mûri tous les deux, murmura-t-il.

— Et tu as acquis beaucoup d'expérience avec les femmes, répliqua Saffy sans réfléchir.

En voyant le visage défait de son mari, elle aurait voulu rattraper les mots qui venaient de franchir ses lèvres. Quelle idiote !

— Après notre échec, j'ai craint d'être… impuissant, avoua Zahir d'une voix crispée. J'avais perdu toute confiance en moi. Je savais que je devais me débarrasser de mon obsession de toi, puisque je t'avais perdue. Mon père m'a envoyé à l'étranger, juste avant que la guerre civile n'éclate. En fait, il m'offrait des vacances pour me récompenser d'avoir enfin divorcé…

— Ne t'inquiète pas, ce n'est pas grave, l'interrompit doucement Saffy. Je ne peux pas dire que je m'en fiche parce que ce serait un mensonge, mais je comprends.

Un éclat doré traversa le regard de Zahir.

— Le moment est peut-être venu que tu m'expliques par quel miracle, toi, tu as changé…, murmura-t-il d'une voix lente. Tu ne…

Elle l'interrompit de nouveau en lui posant un doigt sur les lèvres.

— Je voulais être normale, alors je suis allée consulter un spécialiste pour comprendre ce qui n'allait pas. Il m'a dit que mes peurs face à la sexualité et mon incapacité à faire l'amour avec un homme venaient probablement d'un traumatisme remontant à mon enfance. Il m'a adressée à l'une de ses consœurs avec laquelle j'ai suivi une longue thérapie. Il a fallu beaucoup de temps pour que je me rappelle ce qui était arrivé lorsque j'étais enfant…

La voix de Sapphire se rompit, et Zahir vit de minuscules gouttes de sueur perler sur son front de porcelaine.

— Raconte-moi, n'aie pas peur, ma douce. Il n'y a rien que tu ne puisses me confier.

— L'un des amis de ma mère a abusé de moi… sexuellement, avoua-t-elle d'une voix tremblante. Il me menaçait. Il disait que, si j'en parlais à maman, elle ne me croirait pas. Et que si je refusais de le voir, Emmie ou Topsy prendraient ma place.

Zahir poussa un juron.

— En as-tu parlé à ta mère ? Lui as-tu demandé de l'aide ?

Les traits délicats de sa femme se durcirent sous l'effet de la colère.

— Oui, mais ce salaud avait vu juste : elle a refusé de me croire et m'a punie pour avoir inventé une énormité pareille. Tu comprends, comme son petit ami était un homme connu et riche, réputé pour ses innombrables conquêtes féminines, ma mère ne voulait pas qu'il la quitte ! Alors c'est lui qu'elle a préféré croire.

Zahir serra les poings de colère. Comment une mère pouvait-elle se comporter de la sorte ?

— Et tu avais quel âge ? demanda-t-il enfin.

— Sept ans. Je ne pouvais rien faire, Zahir. Je te jure ! Mais je savais que c'était mal.

Il la serra contre lui de toutes ses forces.

— Est-ce que je te donne l'impression que c'est ta faute si tu as été abusée par cet abominable pervers ? Tu te trompes tellement, ma douce ! Je suis furieux que ce salaud ait pu s'en tirer à si bon compte et que ta mère ait refusé de t'écouter. La seule chose que je regrette, c'est de ne pas avoir été là pour te protéger !

Sans desserrer son étreinte, Zahir déposa un baiser sur les cheveux de son épouse.

— Mais je ne suis pas furieux contre toi, murmura-t-il.

Délicatement, il la souleva dans ses bras, s'assit sur le lit et l'installa sur ses genoux.

— Cela a dû être très difficile pour toi, lorsque tu t'es rappelé cette période de ta vie, dit-il en repoussant une mèche de cheveux blonds derrière son oreille.

— Apparemment, c'est assez fréquent que des enfants refoulent ce genre de souvenirs, répondit-elle d'une voix étouffée. Quand je me suis souvenue de tout, ça a été atroce, mais en même temps j'étais soulagée de comprendre enfin l'origine de mes difficultés. Et puis, je savais que je devais traverser cette épreuve si je voulais envisager de vivre une relation physique avec un homme.

— Si seulement j'avais su tout cela… Mais, tu n'as pas eu envie de vérifier que tu étais guérie, depuis ?

— Pour cela, j'avais besoin de rencontrer un homme qui m'attirerait. Après avoir attendu si longtemps, je ne désirais pas me donner à n'importe qui ! Malheureusement, je n'ai pas trouvé cette perle rare, dit-elle avec malice. Pour la plupart des hommes, je ne représentais qu'un trophée. Et j'estimais mériter mieux.

Les paupières mi-closes, Zahir la regarda un long moment en silence.

— Alors, comment t'es-tu résolue à te… donner à moi ?

— J'ai constaté que tu me plaisais toujours autant… Bizarre, n'est-ce pas ?

Zahir haussa les sourcils d'un air interrogateur tandis qu'un petit sourire remontait le coin de ses lèvres, et Saffy sentit son cœur se gonfler de joie. Qu'il était beau !

— Je me suis dit qu'avec toi je ne risquais pas de me trouver embarquée dans une relation… affective, poursuivit-elle en choisissant ses termes avec soin. Que je me servais de toi pour me débarrasser de ma virginité.

Lentement, Zahir hocha la tête, puis il rapprocha son visage du sien. La sensation de ses lèvres fermes, puis de sa langue caressant la sienne firent naître un frisson délicieux qui se propagea en ondes brûlantes dans tout le corps de Saffy.

Et quand il s'écarta soudain et redressa la tête, elle le regarda, profondément troublée.

— Moi aussi je me suis raconté des tas de mensonges, cette nuit-là, reconnut-il d'une voix rauque. Je n'arrivais pas à admettre que je vibrais toujours pour toi. En fait, après notre divorce, j'étais devenu affreusement amer.

— Pourquoi ?

— Parce que je t'avais aimée et perdue, et que tu semblais vivre une vie fabuleuse sans moi. Et pire encore, j'étais incapable de t'oublier. Je voyais ta photo dans les magazines de ma sœur, qu'elle laissait toujours traîner partout. Tu semblais beaucoup t'amuser en compagnie d'hommes très séduisants. J'étais furieux, et jaloux… Voilà, je l'ai enfin dit ! s'exclama-t-il en soupirant. Dès l'instant où tu as quitté Maraban, tu m'as atrocement manqué et je n'ai jamais cessé de t'aimer. Et je t'aime encore plus aujourd'hui qu'autrefois.

— C'est vrai ?

— Oui, je t'aime et je t'aimerai toujours, dit-il d'une voix sourde.

— Moi aussi je t'aime… Je n'ai jamais cessé de t'aimer, avoua-t-elle. Mais j'étais trop fière pour le reconnaître. Au début, j'ai voulu que tu croies que j'avais d'autres amants.

— Même si ça avait été vrai, je t'aurais aimée quand même, affirma Zahir.

Il fronça un instant les sourcils avant d'ajouter :

— Mais j'ai honte de t'avoir demandé de devenir ma maîtresse. J'étais prêt à n'importe quoi pour te garder. Je n'aurais pu supporter de te perdre de nouveau, mais cela n'excuse pas mon comportement.

Saffy sourit jusqu'aux oreilles.

— Au fond, ce comportement te ressemblait parfaitement, dit-elle. Tu ne peux pas lutter contre ce que tu es au plus profond de toi : direct, entier, passionné.

Elle déposa un baiser furtif sur les lèvres de son époux avant d'ajouter avec sérieux :

— Mais tu possèdes également une patience hors pair, et tu as fait preuve d'une douceur incroyable envers moi, il y a cinq ans. Tu devais être si frustré.

— Non, répliqua-t-il en souriant à son tour. Tu t'es

occupé de moi à ta façon, tu es si belle, si excitante… je n'étais pas vraiment à plaindre.

Une sourde appréhension envahit Saffy.

— Maintenant que tu sais ce que j'ai vécu autrefois, lorsque j'étais enfant, tu me désires encore ? demanda-t-elle en retenant son souffle.

— Oh, Sapphire, je te désire plus que jamais ! Et je suis si fier de toi, mon amour.

Il l'embrassa doucement sur les paupières.

— J'espère que tu te rends compte que tu vas te retrouver coincé avec moi jusqu'à la fin de tes jours…, murmura Saffy.

— J'étais terrifié à la perspective de devoir vivre sans toi, répliqua-t-il avant de reprendre sa bouche avec fièvre.

Lorsqu'il redressa la tête un long moment plus tard, Saffy reprit son souffle avant de murmurer avec malice :

— Tant que tu m'embrasseras comme ça, tu peux être sûr que je ne m'en irai pas…

— Que je t'embrasse *seulement* ? murmura Zahir en commençant à déboutonner son chemisier.

Après qu'il lui eut fait l'amour avec passion et tendresse, ils restèrent étroitement enlacés dans le grand lit de leur nouvelle chambre.

— Je ne te quitterai plus jamais, chuchota Saffy. Je te suivrai partout.

Zahir sourit en lui caressant les reins.

— Si je te le demande, tu m'accompagneras même dans le désert et tu dormiras sous une tente ?

— Du moment qu'il y a de l'électricité et de l'eau chaude, oui, répondit-elle en redressant la tête. Dis-moi, tu es vraiment heureux que je sois enceinte ?

— Je suis fou de joie ! J'ai toujours rêvé de fonder une famille avec toi, mon cœur. Je me souviens encore de la première fois que je t'ai vue, j'ai compris le sens de *coup de foudre*.

— Oui, moi aussi, je me rappelle le moment où tu es arrivé au rayon où je travaillais.

Saffy recula légèrement pour mieux regarder son merveilleux époux.

— Et après tout ce que nous avons traversé, ensemble et séparément, je crois qu'un amour comme le nôtre peut durer toute la vie…

— Oui, toute la vie, répéta Zahir en l'attirant contre lui. Et je ne prendrai plus jamais le risque de te perdre.

Deux ans plus tard

Saffy se pencha et aida son fils à se relever. C'était au moins la troisième fois qu'il tombait mais, dès qu'elle le lâcha, il remonta sur son petit vélo, visiblement déterminé à maîtriser sa récalcitrante monture pour pouvoir se lancer à la poursuite de ses cousines.

— Karim ne renonce pas facilement, remarqua Kat en le regardant adresser des reproches à sa bicyclette de sa petite voix aiguë.

— Non, il a hérité cela de son père !

Au grand plaisir de Saffy, Kat était venue séjourner à Maraban avec Mikhail et elle se réjouissait de les voir si heureux ensemble. Toutefois elle se faisait un peu de souci pour sa sœur aînée. Mikhail et elle, malgré leurs tentatives, n'avaient pas encore d'enfant. Si une femme méritait d'avoir un enfant, c'était bien Kat !

— Tous les membres du personnel lui sont dévoués corps et âme, observa Kat. Il va falloir que tu fasses attention.

— Ne t'en fais pas, nous veillons, Zahir et moi. Karim range ses jouets tout seul et remet lui-même sa chambre en ordre. Son père ne veut pas qu'il devienne un petit garçon gâté et arrogant.

— En revanche, il ne se prive pas de gâter sa femme ! s'exclama sa sœur en riant.

— Oui, c'est vrai. En fait, je crois qu'en me comblant de cadeaux, il se fait plaisir ! répliqua Saffy avec malice.

Zahir lui offrait sans cesse des bijoux somptueux et toutes sortes d'accessoires de luxe qu'il choisissait avec soin pour elle. Elle le laissait faire, heureuse du bonheur qu'elle lisait dans son regard lorsqu'elle revêtait les tenues qu'il avait choisies pour elle. Mais elle ne menait pas pour autant une existence de femme choyée et inutile. Finalement, elle avait participé à la réalisation du film promotionnel sur Maraban et tout le monde avait été impressionné par ses qualités d'ambassadrice. Un rôle qu'elle prenait depuis très à cœur.

Elle avait tant aimé le voyage pendant lequel Zahir lui avait fait découvrir les beautés et les ressources de son cher pays. Dire qu'à présent elle connaissait Maraban presque aussi bien que lui ! Partout, ils avaient reçu un accueil si chaleureux qu'elle se sentait maintenant citoyenne à part entière de son pays d'adoption.

Par ailleurs, elle s'investissait dans différents organismes caritatifs et faisait partie du conseil d'administration du nouvel hôpital de Maraban. Mais son expérience la plus précieuse restait ce voyage en Afrique avec son mari et son fils. Ils y avaient passé une semaine entière durant laquelle ils avaient été très présents à l'orphelinat et à l'école qu'elle avait contribué à fonder.

Par ailleurs, elle se rendait régulièrement à Londres pour rendre visite à ses sœurs. Topsy poursuivait ses études à l'université et travaillait toujours avec la même passion.

Deux ans plus tôt, Saffy avait pris son courage à deux mains et appelé Emmie. Touchée par son initiative, sa jumelle l'avait écoutée et elles avaient enfin eu cette explication si indispensable. Depuis, leur relation avait connu un véritable renouveau.

Zahir sortit du palais, suivi de près par Mikhail. Magnat du pétrole et milliardaire russe, ce dernier donnait de précieux conseils au gouvernement de Maraban en matière d'investissement des recettes pétrolières, la principale ressource du pays.

Se dirigeant droit vers son fils, Zahir le souleva de sa selle juste au moment où le petit garçon allait chuter.

— Il est aussi têtu que son père ! s'exclama Saffy. Il recommencera jusqu'à ce qu'il y arrive, même s'il se fait très mal en tombant…

— Mais il a tes yeux et ta fougue, répliqua Zahir en se tournant vers elle.

Son fils gigotant de toutes ses forces pour se libérer, il le reposa sur ses pieds. Aussitôt Karim s'empara du guidon et remonta en selle en lançant toutes sortes de reproches à son vélo.

Laissant son fils à ses expériences, Zahir s'avança vers sa ravissante épouse et lui prit la main avant de l'entraîner dans les jardins. Le soleil baissait lentement à l'horizon, semblable à un énorme disque de feu nimbé d'un halo orangé. Tout à l'heure, ils dîneraient sur la terrasse à la lumière des bougies et bavarderaient tard dans la nuit avec Kat et Mikhail.

Il se tourna vers sa femme et la regarda longuement en silence. Ses cheveux aux reflets d'or auréolaient son beau visage aux traits fins et un éclat doux et chaud illuminait ses yeux bleus.

— Nous devrions aller nous changer pour le dîner, murmura-t-il.

A ces mots, Saffy s'appuya contre lui et sourit. Dès qu'ils se retrouveraient dans leur chambre, ils feraient l'amour… Car leur désir n'avait pas diminué depuis leur second mariage — au contraire, il semblait croître de jour en jour et la naissance de Karim avait encore approfondi le lien qui les unissait.

— Je t'aime, chuchota-t-elle.

— Moi aussi, je t'aime, murmura Zahir en penchant son visage vers le sien.

collection *Azur*

Ne manquez pas, dès le 1er août

TROUBLANT DÉFI, *Anne Oliver* • N°3495

Pour venir en aide à ses parents, sur le point de perdre leur maison, Chloé doit absolument réunir au plus vite une importante somme d'argent. Mais comment le pourrait-elle, avec son simple salaire de serveuse ? Aussi n'a-t-elle pas d'autre choix que d'accepter lorsque Jordan Blackstone, l'homme d'affaires au charme troublant qu'elle a rencontré la veille au soir dans le restaurant où elle travaille, lui fait une incroyable proposition : il paiera les dettes de sa famille si elle joue le rôle de son épouse dévouée pendant un mois, le temps pour lui de signer un important contrat. Bien sûr, elle se promet de garder ses distances avec Jordan : n'a-t-elle pas toutes les raisons du monde de se méfier des hommes trop riches… et trop séduisants ?

UN BOULEVERSANT HÉRITAGE, *Cathy Williams* • N°3496

Si on lui avait dit qu'elle possèderait un jour un cottage en Cornouailles, Rosie aurait éclaté de rire. Comment imaginer qu'Amanda Wheeler lui léguerait la maison qu'elle aimait tant ? Amanda, celle qui fut sa meilleure amie avant de la trahir de la pire des façons, ne reculant devant aucun mensonge pour lui voler son fiancé : Angelo Di Capua. Mais aujourd'hui, Amanda est morte, et Rosie ne peut se permettre de refuser ce legs. N'a-t-elle pas désespérément besoin d'un nouveau départ, loin de Londres ? Ici, une nouvelle vie s'offre à elle, et tant pis si cela doit réveiller de douloureux souvenirs ou la rapprocher d'Angelo. Angelo qu'elle hait aussi fort qu'elle l'a aimé, mais qui éveille toujours en elle un trouble profond…

LA MAÎTRESSE DE FERRO CALVARESI, *Maisey Yates* • N°3497

Ne faire confiance à personne et travailler plus dur que tout le monde… Tels sont les principes qui ont permis à Julia de se faire un nom dans l'univers si concurrentiel des nouvelles technologies. Aussi, quand Ferro Calvaresi, son concurrent direct, la ridiculise devant des centaines de personnes, est-elle bien décidée à lui dire ce qu'elle pense de sa façon d'agir. Mais lors de leur entrevue, loin de se laisser impressionner, Ferro lui propose au contraire une alliance : ensemble, ils peuvent remporter l'important contrat qui lancera définitivement leurs entreprises respectives. A condition, bien sûr, qu'on les croie désormais *très* proches l'un de l'autre…

UNE IRRÉSISTIBLE SÉDUCTION, *Maya Blake* • N°3498

Coup de foudre au bureau

Depuis qu'elle travaille pour Sakis Pentalides, le célèbre armateur, Brianna met un point d'honneur à garder ses distances, et à se comporter avec le plus grand professionnalisme. Qu'importe qu'il soit beau comme un dieu et terriblement charismatique, plus jamais elle ne fera l'erreur de tomber amoureuse de son patron… Mais, lorsqu'un accident requiert leur présence immédiate à l'autre bout du monde, les obligeant à partager – pour la nuit – la dernière chambre d'hôtel disponible de la ville, Brianna sent la panique l'envahir. Le regard que Sakis pose sur elle n'a plus rien de son détachement habituel… Si son troublant patron entreprend de la séduire, trouvera-t-elle la force de résister ?

UN MILLIARDAIRE POUR AMANT, *Jacqueline Baird* • N°3499

Si Zac Delucca a bâti un véritable empire financier à partir de rien, c'est à force de travail et d'intransigeance. Aussi, lorsqu'il apprend que Nigel Paxton, le directeur financier de l'entreprise qu'il vient de racheter, a détourné plus d'un million de livres sterling, est-il bien décidé à se montrer impitoyable. Mais en apprenant que la magnifique – et insupportablement hautaine – jeune femme rousse qui a attiré son attention, quelques minutes plus tôt, dans le hall de l'entreprise n'est autre que la fille de l'homme qu'il s'apprête à détruire, Zac se demande s'il n'y aurait pas un autre moyen, bien plus agréable – et sensuel –, de se venger…

UN PARFUM D'INTERDIT, *Carole Mortimer* • N°3500

Grace en est sûre : elle va être renvoyée du poste de gouvernante qu'elle occupe chez Cesar Navarro, le célèbre milliardaire argentin. Comment a-t-elle pu se montrer si impertinente avec son nouveau patron, elle d'habitude si réservée, en se moquant de ses gardes du corps ? Et dès son premier jour de travail en plus ! Et puis, jamais elle n'aurait dû se plaindre du petit cottage isolé qu'on lui a alloué – même si elle redoute de devoir y dormir seule la nuit… Aussi, quand Cesar lui propose au contraire de venir s'installer dans la demeure principale, où il vit, Grace sent le soulagement l'envahir. Un soulagement qui laisse bientôt place au trouble : est-il bien sage de vivre sous le même toit que cet homme, qui éveille en elle des sentiments étranges… et brûlants ?

LA PROMESSE DU DÉSERT, *Sarah Morgan* • N°3501

Les Princes du désert

Quand le cheikh de Zubran lui demande, quelques mois à peine après leur rupture, d'organiser la réception de son mariage avec une autre femme, Avery, dévastée, comprend qu'il cherche ainsi à la punir. Après un an de folle passion, n'est-ce pas elle qui a pris l'initiative de leur rupture ? Renoncer à Malik lui a brisé le cœur, mais comment aurait-elle pu faire autrement ? Jamais elle n'aurait fait pour lui une épouse convenable, et il l'aurait tôt ou tard rejetée… Parce qu'elle refuse de montrer à Malik combien elle souffre, Avery se résout à accepter sa cruelle proposition. C'est décidé : elle fera de ce mariage l'événement le plus somptueux de l'année. Qui sait, une fois Malik marié, peut-être parviendra-t-elle à l'oublier et, enfin, à tourner la page ?

PASSION EN LOUISIANE, *Kimberly Lang* • *N°3502*

Depuis toujours, Lorelei vit dans l'ombre de sa sœur, si parfaite, tandis qu'elle-même est la rebelle de la puissante famille LaBlanc. Mais, céder à la passion dans les bras de Donovan Saint-James ? Là, elle sait qu'elle est allée trop loin. Car Donovan n'est pas un inconnu à La Nouvelle-Orléans. C'est le célèbre journaliste qui, depuis des années, met en lumière les secrets les plus honteux des élites de la ville. Une élite à laquelle, quoi qu'elle en dise, elle appartient. Aussi doit-elle oublier, et vite, cette nuit aussi inattendue que délicieuse. Mais comment le pourrait-elle quand le destin semble prendre un malin plaisir à remettre Donovan sans cesse sur son chemin ? Donovan qui semble, quant à lui, décidé à ne *rien* oublier...

LA TENTATION D'UN PLAY-BOY, *Lynne Graham* • *N°3503*

- Amoureuses et insoumises - 3ème partie

Qui est réellement Emmie Marshal ? Cette question hante Bastian depuis qu'il a découvert le visage de sa jeune stagiaire sur un site spécialisé en « accompagnatrices de luxe ». La jeune femme a beau nier avec véhémence, il n'en croit pas un mot : n'a-t-il pas rencontré trop de manipulatrices au visage d'ange pour se laisser tromper par l'apparence si sage d'Emmie ? Dans l'espoir d'obtenir des réponses à toutes les questions qu'il se pose, Bastian exige qu'elle l'accompagne au mariage de sa sœur, en Grèce. Mais une fois sur place, infiniment troublé par le mélange d'innocence et de sensualité que dégage la jeune femme, il cède bientôt au désir fou qu'elle lui inspire, pour une nuit d'amour passionnée. Une nuit qui pourrait bien avoir des conséquences inattendues...

POUR UNE NUIT AVEC LE CHEIKH, *Sharon Kendrick* • *N°3504*

- La fierté des Corretti - 5ème partie

Epouser le cheikh Kulal Al-Dimashqi ? Rosa Corretti est atterrée. Si elle a fui la Sicile et la tutelle de sa puissante famille, ce n'est certainement pas pour retomber sous la coupe d'un homme qu'elle devine de la même trempe que ses frères : arrogant et impitoyable. Pourtant, Rosa sait qu'elle n'a pas le choix. Le bruit circule qu'ils ont passé une nuit ensemble et personne ne croira son démenti. Ce mariage de convenance, pour un an, est le seul moyen d'éviter une tempête médiatique et de préserver leurs réputations respectives. Mais quand Kulal lui annonce, le regard brûlant de désir, qu'il entend bien profiter de tous les aspects de ce mariage, Rosa sent un long frisson – d'angoisse et d'excitation mêlées – la parcourir...

Attention, numérotation des livres différente
pour le Canada : numéros 1932 à 1941.

www.harlequin.fr

Composé et édité par les

éditions H **HARLEQUIN**

Achevé d'imprimer en juin 2014

BRODARD & TAUPIN

La Flèche
Dépôt légal : juillet 2014

Pour l'éditeur, le principe est d'utiliser des papiers
composés de fibres naturelles, renouvelables, recyclables,
et fabriquées à partir de bois issus de forêts qui adoptent
un système d'aménagement durable. En outre, l'éditeur attend
de ses fournisseurs de papier qu'ils s'inscrivent dans
une démarche de certification environnementale reconnue.

Imprimé en France